D0585860

E. T. A. Hoffmann · *Phantastische Geschichten*

E.T.A. Hoffmann

Phantastische Geschichten

Langen Müller

Umschlaggestaltung: Christel Aumann, München
unter Verwendung eines Motivs von Th. Th. Heine
Titelvignette: Th. Th. Heine
Gesamtherstellung: Mohndruck
Reinhard Mohn OHG, Gütersloh
Printed in Germany 1976
ISBN 3-7844-1648-9

Inhalt

Die Marquise de la Pivardiere
(Nach Richers Causes célèbres)

Ein Mensch gemeinen Standes, namens Barré, hatte seine Braut zu später Abendzeit in das Boulogner Holz gelockt und sie dort, da er, ihrer überdrüssig, um eine andere buhlte, mit vielen Messerstichen ermordet.

Das Mädchen, die Gartenfrüchte feilhielt, war ihrer ausnehmenden Schönheit, ihres sittlichen Betragens halber, allgemein bekannt unter dem Namen der Schönen Antoinette. So kam es, daß ganz Paris erfüllt war von Barrés Untat und daß auch in der Abendgesellschaft, die sich bei der Duchesse d'Aiguillon zu versammeln pflegte, von nichts anderm gesprochen wurde als von der entsetzlichen Ermordung der armen Antoinette. – Die Duchesse verlor sich gern in moralische Betrachtungen, und so entwickelte sie auch jetzt mit vieler Beredsamkeit, daß nur heillose Vernachlässigung des Unterrichts und der Religiosität bei dem gemeinen Volk Verbrechen erzeuge, die den höhern, in Geist und Gemüt gebildeten Ständen fremd bleiben müßten.

Der Graf von Saint Hermine, sonst das rege Leben jeder Gesellschaft, war an dem Abend tief in sich gekehrt, und die Blässe seines Gesichts verriet, daß ir-

gendein feindliches Ereignis ihn verstört haben mußte. Er hatte noch kein Wort gesprochen; jetzt, da die Duchesse ihre moralische Abhandlung geschlossen, begann er: »Verzeiht, gnädigste Frau! Barré liest vortrefflich, schreibt eine schöne Hand, kann sogar rechnen, spielt überdies nicht übel die Geige; und was seine Religion betrifft, so hat er freitags in seinem Leben niemals auch nur eine Unze Fleisch genossen, regelmäßig seine Messe gehört und noch an dem Morgen, als er abends darauf den Mord beging, gebeichtet. Was könnt Ihr gegen seine Bildung, gegen seine Religiosität einwenden?«
Die Duchesse meinte, daß der Graf durch seine bittre Bemerkung ihr und der Gesellschaft den unausstehlichen Unmut entgelten lassen wolle, der ihm heute seine ganze Liebenswürdigkeit raube. Man setzte das vorige Gespräch fort, und ein junger Mann stand im Begriff, noch einmal alle Umstände der Tat Barrés auf das genaueste zu beschreiben, als der Graf von Saint Hermine sich ungeduldig von seinem Sitze erhob und auf das heftigste erklärte, man würde ihn augenblicklich verjagen, wenn man nicht ein Gespräch ende, das mit scharfen Krallen in seine Brust greife und eine Wunde aufreiße, deren Schmerz er wenigstens auf Augenblicke in der Gesellschaft zu verwinden gehofft.
Alle drangen in ihn, nun nicht länger mit der Ursache seines Unmuts zurückzuhalten. Da sprach er: »Man wird es nicht mehr Unmut nennen, was mich heute

langweilig, unausstehlich erscheinen läßt; man wird es mir, meinem gerechten Schmerz verzeihen, daß ich das Gespräch über Barrés Untat nicht zu ertragen vermag, wenn ich offenbare, was mein ganzes Inneres tief erschüttert. Ein Mann, den ich hochschätzte, der sich in meinem Regiment stets brav, tapfer, mir innig ergeben bewies, der Marquis de la Pivardiere, ist vor drei Nächten auf die grausamste Weise in seinem Bette ermordet worden.« – »Himmel«, rief die Duchesse, »welche neue entsetzliche Untat! Wie konnte das geschehen! Die arme, unglückliche Marquise!«
Auf dies Wort der Duchesse vergaß man den ermordeten Marquis, bedauerte nur die Marquise und erschöpfte sich in Lobeserhebungen der anmutigen geistreichen Frau, deren strenge Tugend, deren edler Sinn als Muster gegolten und die schon als Demoiselle du Chauvelin die Zierde der ersten Zirkel in Paris gewesen sei.
»Und«, sprach der Graf mit dem ins Innere dringenden Ton der tiefsten Erbitterung, »und diese geistreiche tugendhafte Frau, die Zierde der ersten Zirkel in Paris, diese war es, die ihren Gemahl erschlug, mit Hülfe ihres Beichtvaters, des verruchten Charost!«
Stumm, von Entsetzen erfaßt, starrte alles den Grafen an, der sich vor der Duchesse, die der Ohnmacht nahe, tief verbeugte und dann den Saal verließ. –
Franziska Margarete Chauvelin hatte in früher Kindheit ihre Mutter verloren, und so war ihre Erziehung ganz das Werk ihres Vaters geblieben, eines geistrei-

chen, aber strengen, ernsten Mannes. Der Ritter Chauvelin glaubte daran, daß es möglich sei, das weibliche Gemüt zur Erkenntnis seiner eignen Schwächen zu bringen, und daß diese eben dadurch weggetilgt werden könnten. Sein starrer Sinn verschmähte jene hohe Liebenswürdigkeit der Weiber, die sich aus der subjektiven Ansicht des Lebens von dem Standpunkte aus, auf den sie die Natur gestellt hat, erzeugt; und eben in dieser Ansicht liegt ja der Ursprung aller der Äußerungen einer inneren Gemütsstimmung, die in demselben Augenblick, da sie uns launisch, beschränkt, kleinartig bedünken will, uns unwiderstehlich hinreißt. Der Ritter meinte ferner, daß, um zu jenem Zweck zu gelangen, es vorzüglich nötig sei, jeden weiblichen Einfluß auf das junge Gemüt zu verhindern; auf das sorglichste entfernte er daher von seiner Tochter alles, was nur Gouvernante heißen mag, und wußte es auch geschickt anzufangen, daß keine Gespielin es dahin brachte, sich mit Franziska in gleiche Farbe zu kleiden und ihr die kleinen Geheimnisse eines durchtanzten Balls o. s. zu vertrauen. Nebenher sorgte er dafür, daß Franziskas notwendigste weibliche Bedienung aus geckenhaften Dingern bestand, die er dann als Scheubilder des verkehrten weiblichen Sinns aufstellte. Vorzüglich richtete er auch, als Franziska in die Jahre gekommen, daß davon die Rede sein konnte, die vernichtenden Pfeile seiner Ironie gegen die süße Schwärmerei der Liebe, die den weiblichen Sinn erst recht nach seiner innersten Bedeutung gestaltet und die wohl nur bei einem Jünglinge oft ins Fratzenhafte abarten mag. – Glück für Franziska, daß des Ritters Glaube ein arger Irrtum war. Sosehr er sich mühte, dem tiefweiblichen Gemüt Franziskas die Rauhigkeit eines männlichen Geistes, der das Spiel des Lebens verachtet, weil er es zu verstehen, es durchzuschauen vermeint, anzuerziehen; es gelang ihm nicht, die hohe Anmut und Liebenswürdigkeit, der Mutter Erbteil, zu zerstören, die immer mehr herausstrahlte aus Franziskas Innern und die er in seltsamer Selbsttäuschung für die Frucht seiner weisen Erziehung hielt, ohne daran zu denken, daß er ja eben dagegen seine gefährlichsten Waffen gerichtet.

Franziska konnte nicht schön genannt werden, dazu waren die Züge ihres Antlitzes nicht regelmäßig genug; der geistreiche Feuerblick der schönsten Augen, das holde Lächeln, das um Mund und Wangen spielte, eine edle Gestalt im reinsten Ebenmaß der Glieder, die hohe Anmut jeder Bewegung, alles dieses gab indessen Franziskas äußerer Erscheinung einen unnennbaren Reiz. Kam nun noch hinzu, daß die viel zu gelehrte Bildung, die ihr der Vater gegeben und die sonst nur zu leicht das innerste, eigentliche Wesen des Weibes zerstört, ohne das ein Ersatz möglich, ihr nur diente, richtig zu verstehen, aber nicht abzusprechen, daß die Ironie, die ihr vielleicht von des Vaters Geist zugekommen, sich in ihrem Sinn und Wesen zum gemütlichen lebensvollen Scherz umgestaltete: so konnt' es nicht fehlen, daß sie, als der Vater, den Ansprüchen des

Lebens nachgebend, sie einführte in die sogenannte große Welt, bald der Abgott aller Zirkel wurde.
Man kann denken, mit welchem Eifer sich Jünglinge und Männer um die holde, geistreiche Franziska bemühten. Diesen Bemühungen stellten sich nun aber die Grundsätze entgegen, die der Ritter du Chauvelin seiner Tochter eingeflößt. Hatte sich auch irgendein Mann, dem die Natur alles verliehen, um den Weibern zu gefallen, Franziska mehr und mehr genähert, wollte ihr Herz sich ihm hinneigen, dann trat ihr plötzlich der fratzenhafte Popanz eines verliebten Weibes vor Augen, den der Vater herbeigezaubert, und der Schreck, die Furcht vor dem Scheubilde tötete jedes Gefühl der Liebe im ersten Aufkeimen. Da es unmöglich war, Franziska stolz, spröde, kalt zu nennen, so geriet man auf den Gedanken eines geheimen Liebesverständnisses, auf dessen Entwicklung man begierig wartete, wiewohl vergebens. Franziska blieb unverheiratet bis in ihr fünfundzwanzigstes Jahr. Da starb der Ritter, und Franziska, seine einzige Erbin, kam in den Besitz des Rittergutes Nerbonne.
Die Duchesse d'Aiguillon (wir haben sie in dem Eingange der Geschichte kennengelernt) fand es nun nötig, sich um Franziskas Wohl und Weh, um ihre Verhältnisse zu kümmern, da sie es nicht für möglich hielt, daß ein Mädchen, sei sie auch fünfundzwanzig Jahre alt geworden, sich selbst beraten könne. Gewohnt, alles auf gewisse feierliche Weise zu betreiben, versammelte sie eine Anzahl Frauen, die über Franziskas Tun

und Lassen Rat hielten und endlich darin übereinkamen, daß ihre jetzige Lage es durchaus erfordere, sich zu vermählen. – Die Duchesse übernahm selbst die schwierige Aufgabe, das ehescheue Mädchen zur Befolgung dieses Beschlusses zu bewegen, und freute sich im voraus über den Triumph ihrer Überredungskunst. Sie begab sich zu der Chauvelin und bewies ihr in einer wohlgesetzten Rede, die ihr nicht wenig Kopfbrechens gekostet, daß sie endlich den Bedingnissen des Lebens nachgeben, ihren Starrsinn, ihre Sprödigkeit ablegen, rücksichtslos dem Gefühl der Liebe Raum lassen und einen Mann, der ihrer wert, mit ihrer Hand beglücken müsse.

Franziska hatte die Duchesse mit ruhigem Lächeln angehört, ohne sie ein einziges Mal zu unterbrechen. Nicht wenig erstaunte die Duchesse aber jetzt, als Franziska erklärte, daß sie ganz ihrer Meinung sei, daß ihre Lage, der Besitz der weitläufigen Güter, die Verwaltung des Vermögens durchaus erfordere, sich durch die Vermählung mit einem ehrenwerten Manne ihres Standes im Leben festzustellen. Sie sprach dann von dieser Vermählung wie von einem Geschäft, das von ihrem Verhältnis herbeigeführt, notwendig abgeschlossen werden müsse, und meinte, daß sie vielleicht bald imstande sein werde, unter ihren Bewerbern den zu wählen, der sich als der vernünftigsten, ruhigsten bewährt.

»Fräulein«, rief die Duchesse, »Fräulein, sollte Euer reiches Gemüt, Euer empfänglicher Sinn denn ganz

verschlossen sein dem schönsten Gefühl, das die Sterblichen beglückt? – Habt Ihr denn niemals, niemals geliebt?«
Franziska versicherte, daß dies niemals der Fall gewesen sei, und entwickelte dann die Theorie ihres Vaters über ein Gefühl, das ein böses Prinzip in der Natur mit heilloser Ironie in die menschliche Brust gelegt, da es die Urkraft des menschlichen Geistes breche und nichts herbeiführe als ein durch Demütigungen, durch lächerliche Narrheiten aller Art verstörtes Leben.
Die Duchesse geriet ganz außer sich über die abscheulichen Grundsätze und begann Franziska tüchtig auszuschelten, daß sie einer Lehre gefolgt, die sie geradezu ruchlos und teuflisch nannte, da sie der innersten Natur des Weibes zuwider sei und eben das bewirken müsse, was sie dem höchsten Gefühle schuld gebe, nämlich ein armseliges, verstörtes Leben. Zuletzt faßte sie des Fräuleins Hand und sprach, indem ihr die Tränen in die Augen traten: »Nein, mein gutes, teures Kind, nein, es ist nicht möglich; du täuschest dich selbst, du gibst dich uns schlechter, als du wirklich bist; fremd sind dir jene Grundsätze eines strengen, starren Mannes, der dem Leben feindlich entgegentrat! – Du hast geliebt und widerstrebtest nur im angekünstelten Eigensinn deiner inneren Regung! – Sei aufrichtig, erwäge jeden Augenblick deines Lebens! – Es ist nicht möglich, daß es keinen geben sollte, in dem nicht das Gefühl der Liebe plötzlich eindrang in dein eisumpanzertes Herz!«

Franziska stand im Begriff, der Duchesse zu antworten, als plötzlich ein Gedanke wie ein Blitz sie zu durchzucken schien. Über und über errötend, dann zum Tode erbleichend, starrte sie zur Erde nieder; ein tiefer Seufzer stieg aus der Brust empor, dann begann sie: »Ja, ich will aufrichtig sein. – Ja, es gab in meinem Leben einen Moment, in dem mich mit zerstörender Gewalt ein Gefühl überraschte, das ich verabscheuen lernte und noch verabscheue!«

»Weh dir!« rief die Duchesse, »weh dir, aber sprich!«

»Ich hatte«, erzählte Franziska, »eben mein sechzehntes Jahr zurückgelegt, als mein Vater mich in Eure Zirkel, gnädigste Frau, einführte. Ihr verstandet meine Befangenheit zu besiegen, mich dahin zu bringen, meiner Laune mich ganz hinzugeben. Man fand das, was ich jetzt als ausgelassen verwerfen würde, damals über die Maßen liebenswürdig, und ich hätte eitel genug sein können, mich für die gefeierte Königin der Gesellschaft zu halten.« – »Das wart Ihr, das wart Ihr!« unterbrach die Duchesse das Fräulein. – »Ich weiß nicht mehr«, fuhr das Fräulein fort, »was ich eben sprach, aber es erregte die Teilnahme der ganzen Gesellschaft so sehr, daß in dem tiefsten Stillschweigen aller Blicke starr auf mich gerichtet waren und ich beschämt die Augen niederschlug.

Es war mir, als vernähme ich ganz in meiner Nähe den Namen Franziska! wie einen leisen Seufzer. – Unwillkürlich schaue ich auf – mein Blick fällt auf einen Jüngling, den ich solange noch gar nicht bemerkt; aber ein

unbekanntes Feuer strahlt aus seinen dunklen Augen und durchdringt mein Innerstes wie ein glühender Dolch –, mich erfaßt ein namenloser Schmerz – es ist mir, als müsse ich sterbend niedersinken, aber der Tod sei das höchste seligste Entzücken des Himmels. – Keines Wortes mächtig, vermag ich nur, von süßer Qual gepeinigt, tief aufzuseufzen – Tränen strömen mir aus den Augen. – Man hält mich für plötzlich erkrankt, man bringt mich in ein Nebenzimmer, man schnürt mich auf, man braucht alle Mittel, die zur Hand sind, mich aus dem entsetzlichen Zustande zu reißen. – In tötender Angst, ja in Verzweiflung versichere ich endlich, daß alles vorüber, daß mir wieder wohl sei. – Ich verlange zurück in die Gesellschaft. – Meine Augen suchen, finden *ihn* – ich sehe nichts als *ihn* – *ihn*! – ich erbebe vor dem Gedanken, daß er sich mir nähern könne, und doch ist es eben dieser Gedanke, der mich mit dem süßesten, nie gefühlten, nie geahnten Entzücken durchströmt! – – Mein Vater mußte meinen überreizten Zustand bemerken, konnte er auch vielleicht dessen Ursache nicht erforschen; er führte mich schnell fort aus der Gesellschaft.
So jung ich war, mußte ich doch wohl erkennen, daß das böse verstörende Prinzip auf mich eingedrungen, vor dem mich der Vater so sehr gewarnt, und eben die Gewalt, der ich beinahe erlegen, ließ mich die Wahrheit alles dessen, was er darüber gesagt, vollkommen einsehen. Ich kämpfte einen schweren Kampf; aber ich siegte; das Bild des Jünglings verschwand, ich fühlte

mich froh und frei, ich wagte mich wieder in Eure Gesellschaft, gnädigste Frau; aber ich fand den Gefürchteten nicht wieder. Dem Schicksal oder vielmehr jenem bösen Prinzip des Lebens genügte aber nicht mein Sieg; ein schwererer Kampf stand mir bevor. – Mehrere Wochen waren vergangen, als ich, da eben die Abenddämmerung einzubrechen beginnt, im Fenster liege und hinaussehe auf die Straße. Da erblicke ich jenen Jüngling, der zu mir hinaufschaut, mich grüßt und dann geradezu losschreitet auf die Tür des Hauses. – Weh mir! – mit verdoppelter Kraft ergreift mich jene entsetzliche Macht! – Er kommt, er sucht dich auf! – Dieser Gedanke – Entzücken – Verzweiflung –, raubt mir die Sinne! – Als ich aus tiefer Ohnmacht erwachte, lag ich ausgekleidet auf dem Sofa; mein Vater stand bei mir, ein Naphthafläschchen in der Hand. Er fragte, ob mir etwas Besonderes begegnet. Er habe die Türe meines Zimmers öffnen, wieder verschließen und dann Tritte die Treppe herabgehen gehört, die ihm männliche hätten bedünken wollen, mich aber zu seinem nicht geringen Schreck ohnmächtig auf der Erde liegend gefunden. Ich konnte, ich durfte ihm nichts sagen; doch schien er das Geheimnis zu ahnen, denn des Nervenfiebers, das mich an den Rand des Grabes brachte, unerachtet, traf mich seine bittre Ironie, die er gegen verfängliche Ohnmachten eines verdrießlichen Liebesfiebers richtete. Ich danke ihm das; denn er verhalf mir zum zweiten Siege, der mir glorreicher schien als der erste.«

Die Duchesse umarmte, küßte und herzte voller Freude das Fräulein. Sie versicherte, daß nun alles sich gar herrlich fügen werde; auf den erfochtenen Sieg gebe sie ganz und gar nichts; vielmehr werde sie, da sie ein Tagebuch führe, in dem jede Person, die ihre Abendgesellschaft besucht, und was dabei vorgefallen genau aufgezeichnet stehe, sehr leicht den Jüngling ausfindig machen, der Franziskas Liebe errungen, und so ein Liebespaar vereinen, das abscheuliche Grundsätze eines starrsinnigen Vaters getrennt.
Franziska versicherte dagegen, daß, wenn der Jüngling, der nun nach beinahe zehn Jahren wohl ein Mann worden, wirklich noch unverheiratet sei und sich um ihre Hand bewerben wolle, sie sich doch nimmermehr mit ihm vermählen werde, da die Erinnerung an jene verhängnisvollen Augenblicke ihr Leben durchaus verstören müsse.
Die Duchesse schalt sie ein eigensinniges Ding und meinte sogar, daß die Stunde der Erkenntnis vielleicht zu spät und dann unwiederbringliches Verderben über Franziska kommen könne.
Das Fräulein meinte, daß, da sie sich zehn Jahre hindurch bewährt, wohl eine Änderung ihres Sinns unmöglich gedacht werden könne. Auch übereilte sie sich eben nicht mit der ihr selbst so notwendig dünkenden Wahl eines Gatten, denn beinahe drei Jahre vergingen und noch war sie unverheiratet.
»Seltsam, wie sie ist, wird sie das Seltsame unerwartet tun«, sprach die Duchesse d'Aiguillon und hatte recht;

denn niemand hatte geahnt, daß Franziska dem Marquis de la Pivardiere ihre Hand reichen würde, wie es wirklich geschah.
Der Marquis de la Pivardiere war unter Franziskas Bewerbern derjenige, dessen Ansprüche auf ihre Hand gerade die geringsten schienen. Von mittelmäßiger Gestalt, trocknem Wesen, etwas unbehülflichem Geiste, stellte er sich in der Gesellschaft eben nicht glänzend dar. Er war gleichgültig gegen das Leben, weil er es in früherer Zeit vergeudet, und diese Gleichgültigkeit, die bisweilen überging in Verachtung, ließ sich oft aus in beißendem Spott. Dabei gehörte er zu den unentschiedenen Charakteren, die niemals Böses tun ohne dringenden Anlaß und Gutes, wenn es sich gerade so fügen will und sie nicht besonders daran denken dürfen.
Franziska glaubte in der Art, wie sich der Marquis gab, in seinen Meinungen und Grundsätzen viel Ähnliches mit ihrem Vater zu finden, und dies veranlaßte sie, sich ihm mehr anzunähern. Der Marquis, schlau genug einzusehen, worauf es ankomme, um sie für sich zu gewinnen, hatte nichts Angelegentlicheres zu tun, als auf das sorglichste alles zu studieren und sich einzuprägen, was Franziska aus dem Innersten heraus vorzüglich über das Verhältnis der Ehe äußerte, und es dann als seine eigne Überzeugung vorzutragen.
Diese scheinbare Einigkeit der Gesinnung, der Gedanke, daß der Marquis unter allen denen, die um sie warben, der einzige sei, der das Leben aus dem richti-

gen Standpunkt betrachte, und niemals Ansprüche machen werde, die sie nicht erfüllen könne, ja selbst der Umstand, daß es ihm nie eingekommen, den feurigen Liebhaber zu machen, daß er stets kalt und trocken geblieben, bestimmte Franziskas Wahl und machte den von Gläubigern verfolgten Marquis zum Herrn des Ritterguts Nerbonne. – Sosehr man Ursache hatte, zu glauben, daß ein böses Mißverhältnis sich gleich in dieser Ehe offenbaren werde, so mußte man sich doch vom Gegenteil überzeugen.

Der Marquis, umstrahlt von dem Glanze der Liebenswürdigkeit seiner Gattin, schien ganz ein anderer. Das Eis, zu dem sein Inneres erstarrt, schien aufgetaut, und trotz alles Sträubens mußte man zuletzt gestehen, der Marquis de la Pivardiere sei ein ganz angenehmer Mann, mit dem die Marquise, bleibe sie ihren Grundsätzen treu, wohl glücklich sein könne.

Der Marquis begab sich mit seiner Gattin, nachdem er einige Monate in Paris gelebt, nach dem Rittergute Nerbonne, und beide führten in der Tat ein ruhiges, glückliches Leben, will man eine völlige Gleichgültigkeit gegeneinander, die gar keine Ansprüche zuläßt, dafür annehmen. Diese Stimmung änderte sich auch nicht im mindesten, als die Marquise dem Gatten eine Tochter gebar.

Mehrere Jahre waren vergangen, als der ausbrechende Krieg (1688) den Aufruf des sogenannten Arrièrebans veranlaßte, so daß der Marquis im Dienste dieses Arrièrebans von Zeit zu Zeit vom Schlosse Nerbonne sich zu entfernen genötigt ward. – Mag es sein, daß dieser Dienst ihm zu lästig war, mag es sein, daß er sich hinwegsehnte aus dem einförmigen Leben und daß selbst das Verhältnis mit der Marquise ihm langweilig, verdrießlich geworden – genug, er suchte Dienste in der Armee, es gelang ihm, eine Eskadron in dem Dragonerregiment des Grafen Saint Hermine zu erhalten, und er blieb so vom Hause ganz entfernt. –

Eine Viertelstunde von dem Schlosse Nerbonne war die Abtei zu Miseray gelegen, welche regulierte Augustiner im Besitz hatten. Einer dieser Geistlichen verwaltete zugleich die Kapelle im Schlosse Nerbonne, welcher Dienst ihn verpflichtete, jeden Sonnabend in der Kapelle Messe zu lesen. Dieser Geistliche war denn auch altem Herkommen nach der Beichtvater der Herrschaft zu Nerbonne. So geschah es denn, daß die Marquise, statt in der Kirche zu Jeu, der eigentlichen Parochialkirche von Nerbonne, in der Kirche der Abtei Messe zu hören und zu beichten pflegte.

Da die Abtei nur eine Viertelstunde von dem Schlosse entfernt lag, so machte die Marquise den Weg dahin gewöhnlich zu Fuß.

Eines Morgens an einem Heiligentage, als die Marquise sich gerade in dem Garten des Schlosses befand, tönten die Glocken der Abtei dumpf und feierlich herüber. Die Marquise fühlte sich von einer Wehmut durchdrungen, die ihr lange fremd geblieben. Es war, als stiege die Vergangenheit vor ihr auf wie ein Traumbild, und manche liebe Gestalt, mancher schnell entflohene Moment mahne sie daran, daß sie das Leben nicht zu erfassen vermocht, als es noch grün und blühend sie umgab. Ein seltsamer Schmerz, den sie selbst nicht verstand, beengte ihre Brust und unwillkürlich rannen ihre Tränen. In der Andacht glaubte sie Erleichterung der Qual zu finden, die ihr Inneres zerriß. Sie begab sich nach der Abtei, und während des Hochamts, das soeben begann, näherte sie sich, von unbekannter, unwiderstehlicher Gewalt getrieben, dem Beichtstuhl, den der Kaplan des Schlosses Nerbonne einzunehmen pflegte.

Als nun aber der Priester die Absolution sprach, bebte sie zusammen vor seiner Stimme, und der Ohnmacht nahe, wankte sie fort, als sie durch das Gitter das totenbleiche Antlitz des Geistlichen erblickte, aus dessen düsteren Augen ein Feuerstrahl sie durchfuhr.

»Nein, es war kein Mensch, es war ein Geist, aus grauenvoller Tiefe heraufgebannt, mich, mein Leben zu zerstören!« – So sprach die Marquise, als sie ganz erschöpft auf ihr Schloß zurückgekommen. Aber von tiefem Entsetzen wurde sie erfaßt, als sie sich deutlich erinnerte, dem gespenstischen Priester gebeichtet zu haben, daß sie einst in früher Jugend, wiewohl schuldlos, einen Jüngling ermordet, dann aber Untreue an ihrem Gemahl verübt – Verbrechen, von denen auch nie die Ahnung in ihrer Seele gekommen. Ebenso erinnerte sie sich, daß, als sie den Mord gebeichtet, der Geistliche einen seltsamen, herzzerschneidenden Laut des Jammers von sich gegeben, bei der Absolution

aber gesagt habe, daß der Himmel ihr den Mord längst verziehen, daß aber, was die an ihrem Gemahl verübte Untreue betreffe, aufrichtige Reue und strenge Buße zwar die Tat sühnen könne, daß sie aber dafür die weltliche Rache des Gesetzes treffen werde. – Das ganze geheimnisvolle Ereignis erschien ihr wie der fürchterliche angstvolle Traum einer Wahnsinnigen; sie schickte nach der Abtei, sie wollte wissen, wer an jenem Morgen statt des Kaplans Beichte gehört.
Man benachrichtigte sie, daß der Kaplan nach einem Krankenlager von zwei Tagen soeben verschieden sei, daß aber derselbe Geistliche, der am Morgen Beichte gehört, indessen den Dienst der Kapelle im Schloß Nerbonne verwalten und den nächsten Sonnabend Messe lesen werde. »Ist es möglich«, sprach die Marquise zu sich selbst, »daß eine aufgeregte Stimmung, ich möchte sagen, der Anfall eines die Nerven erschütternden Krampfs solche Torheiten erzeugen kann? Mein Gespenst verkörpert sich; ich werde es schauen und – mich meiner Albernheit schämen.« – Als am Sonnabend in der Frühe der Geistliche, der den Dienst des Kaplans verwalten sollte, in das Zimmer der Marquise trat, als er sie, sich sanft neigend, mit einem »Gelobt sei Jesus Christus!« begrüßte, da starrte sie ihn an, sank dann nieder zu seinen Füßen und schrie ganz außer sich: »Weh mir! – ja, du bist es, du bist der Jüngling, den ich in früher Jugend ermordet.«
»Faßt Euch, Frau Marquise«, sprach der Geistliche ruhig, indem er die Marquise aufhob und zum Lehnstuhl

führte, »ich bitte Euch, überwindet den Schmerz, der – ach, vielleicht nur zu tötend Eure Brust zerreißt, da keine Reue das ersetzt, was unwiederbringlich verloren!«
»Haltet«, begann die Marquise mit bebender Stimme, »haltet mich nicht für wahnsinnig, ehrwürdiger Herr! – Euer bleiches Antlitz, Euer ergrautes Haar – und doch seid Ihr es, ja, Ihr seid der Jüngling, den ich einst bei der Duchesse d'Aiguillon erblickte, der in meiner Brust alles tötende Entzücken, alle brünstige Qual eines Gefühls erweckte, das mir ewig fremd bleiben sollte! – Weh' mir! – was ist es, das noch jetzt, da ich Euch wiedersehe, mein Inneres zerreißt? – Doch nein! – alles ist Einbildung – Torheit – Ihr könnt nicht jener Jüngling sein – es ist nicht möglich!«
»Wohl«, unterbrach der Geistliche die Marquise, »wohl bin ich jener Jüngling, jener unglückliche Charost, den Ihr in Verzweiflung stürztet! – Ich erkannte Euch, als Ihr an den Beichtstuhl tratet; ich verstand das, wozu Ihr Euch in seltsamer Verstörtheit bekanntet, und die Seufzer, die unwillkürlich meiner Brust entflohen, die heißen Tränen, die meinen Augen entströmten, waren der letzte Tribut, den ich dem Andenken an irdisches Weh zollen mußte. Bis dahin hatte ich den Brief aufbewahrt, den Ihr mir schriebt, der mein Herz durchschnitt, mich in trostloses Elend stürzte; ich vernichtete ihn, als ich Euch wiedergesehen, als ich die Überzeugung gewonnen hatte, daß nun die letzte Prüfung vorüber sei.«

»Wie«, begann die Marquise, »wie? Ihr sprecht von einem Briefe, den Ihr empfingt? – Nie habe ich Euch geschrieben. Ich hatte Euch bei der Duchesse d'Aiguillon gesehen, und es unterblieb ja jede weitere Annäherung – was für Geheimnisse!«
»Vielleicht«, erwiderte der Geistliche mit ruhigem Lächeln, »vielleicht verlöschte ein Zeitraum von mehr als zwanzig Jahren mit dem Andenken an die tiefe Kränkung, die mich zur Verzweiflung brachte, auch die Erinnerung der Art, wie sie mir widerfuhr. – Ich hatte noch nicht geliebt; erst als ich das Fräulein von Chauvelin sah, erfaßte mich dies Gefühl mit aller, das ganze Gemüt erschütternden Stärke, die es über einen reizbaren Jüngling zu üben vermag. – Von Wonne und Lust durchbebt, bemerkte ich die Unruhe des Fräuleins, sah, wie ihre Blicke mich in scheuer Liebe suchten und mieden. Ja! – es war kein Zweifel – ich konnte glauben an das höchste Glück meines Lebens! – Die Abreise meines Vaters, des Präsidenten Charost, nach seinem Wohnsitz Chatillon-sur-Indre entfernte mich von Paris. Aber wie konnte ich fernbleiben von meiner Liebe? – Mit Mühe erhielt ich von meinem Vater die Erlaubnis, zurückzukehren nach der Hauptstadt. Ich hatte die Wohnung des Fräuleins erforscht; mein erster Gang, da ich angekommen, war dahin, ich hoffte, die Geliebte wenigstens am Fenster zu schauen. Welch Entzücken, welche Himmelswonne, als ich sie erblickte, als sie wie im jähen Schreck zurückfuhr. – Hinauf – hinauf zu ihr – zu ihren Füßen mein ganzes

Selbst aushauchen in der höchsten Inbrunst der Liebe! – der Gedanke ließ keine Rücksicht aufkommen. Niemand auf der Hausflur; ich fand mich zurecht, ich trat in des Fräuleins Zimmer. Da rief die, von der ich geliebt zu sein glaubte, mit einer Stimme, die tötend mein Innerstes durchfuhr: Fort – fort – Unglückseliger! – streckte mir die Hände abwehrend entgegen mit allen Zeichen des tiefsten Abscheus! – Ich hörte Tritte sich nahen; aber erst in meiner Wohnung, in die ich mechanisch zurückgekehrt, fand ich mich wieder. Zur Stunde weiß ich nicht, wie ich aus dem Hause des Ritters du Chauvelin gekommen, ob ich jemandem begegnet, ob jemand mit mir gesprochen oder was sich sonst begeben. – Ruhiger geworden, konnte ich nicht anders glauben, als daß irgendein unseliges Mißverständnis über mich walten müsse. Ich schrieb an Franziska, schilderte ihr mit aller Glut der heftigsten Leidenschaft meine Liebe, meinen trostlosen Zustand, beschwor sie in den rührendsten Ausdrücken, mir zu sagen, welches böse Verhängnis den Haß, ja den tiefen Abscheu verursacht, den sie mir bewiesen. Gleich andern Tages erhielt ich die Antwort, jenen Brief, der mir alle Hoffnung des Lebens raubte. Franziska verwarf mich mit dem bittersten Hohn. Sie versicherte, daß sie weit entfernt sei, irgendeinen Haß oder Abscheu gegen mich, den zu kennen sie kaum das Vergnügen habe, in sich zu tragen; vor Wahnsinnigen habe sie aber große Furcht, weshalb sie mich bitte, ihr meinen Anblick zu ersparen. An einem seltsamen Wahnsinn müsse ich

nämlich wohl leiden, und der Ausbruch jener Furcht sei es vielleicht gewesen, was ich für Haß oder Abscheu gehalten. Jedes Wort des unseligen Briefes spaltete mein Herz. – Ich verließ Paris und schweifte umher, ohne nach Chatillon zurückzukehren. Wo ich Ruhe suchte und fand, zeigt Euch das Kleid, das ich trage!«
Die Marquise beteuerte bei allem, was ihr heilig, daß sie niemals einen Brief von Charost erhalten, also auch keinen habe beantworten können. Nur zu gewiß war es, daß jener Brief dem Ritter in die Hände gefallen, der ihn statt seiner Tochter beantwortet.
Die Marquise wurde von einem Gedanken ergriffen, dessen Ahnung sonst nicht in ihrer Seele gelegen; es ging ihr auf, daß der Vater, dessen ganzes Sein und Wesen ihr stets die tiefste Ehrfurcht eingeflößt, dessen Lebensweisheit ihr die einzige Norm ihres Denkens, ihres Handelns gegeben, daß eben dieser Vater das böse Prinzip gewesen sei, das sie um ihr schönstes Glück betrogen. Ihr ganzes mißverstandenes Leben schien ihr eine finstere, freudenleere Gruft, in die sie rettungslos begraben; ein vernichtender Schmerz durchbohrte ihre Brust.
Charost begriff die Marquise ganz und gar und mühte sich, sie aufzurichten durch den Trost der Kirche, den er aussprach in salbungsvollen Worten. Er versicherte, daß er nun erst den ewigen Ratschluß des Himmels erkenne und preise, nachdem sein irdisches Glück zertrümmert worden, um seinen Sinn ganz zu reinigen, zu heiligen, empfänglich zu machen für ein Verhältnis,

das auf Erden schon die Seligkeit des Himmels erschließe. Ihn habe die ewige Macht ausersehen, sie, die er einst mit der höchsten Inbrunst geliebt, auf den wahren, einzigen Himmelsweg zu leiten.

»Wie«, unterbrach ihn die Marquise heftig, »wie, Ihr wolltet ...«

»Euer«, sprach Charost mit ruhiger Würde, »Euer Beichtvater sein, und ich glaube, Frau Marquise – oder laßt mich Euch Franziska nennen – daß es mir gelingen wird, allen irdischen Schmerz zu besiegen, der Euer Leben hienieden stört. Euer Gemahl wird mir gern die Kaplanstelle in Eurem Schlosse anvertrauen; er wird sich des Silvain François Charost wohl erinnern, dessen Jugendfreund er war.« –

Charost hatte recht; sein trostreicher Zuspruch erleichterte das Gemüt der Marquise, und es kam bald eine Heiterkeit in ihr Leben, die sie sonst nicht gekannt. Öfter, als es gerade der Kaplansdienst erforderte, kam Charost nach dem Schloß Nerbonne, und war, da sein lebhafter Geist sich gern einer Fröhlichkeit überließ, die die engsten Schranken der Würde nicht überschreitet, die Seele des kleinen Zirkels, der sich auf dem Schlosse zu versammeln pflegte. Diesen Zirkel bildeten vorzüglich der Ritter Preville mit seiner Gemahlin, ein Herr de Cangh, die Dame Dumée mit ihrem Sohn und ein Herr Dupin, alle Nachbarn der Marquise. – Die Marquise unterließ nicht, ihrem Gemahl zu schreiben, daß der Kaplan des Schlosses gestorben, daß der Augustiner Charost indessen den

Dienst verwalte und daß er nun bestimmen möge, ob Charost, der, wie er behaupte, sein Jugendfreund sei, den Dienst behalten sollte.
Der Marquise ging es indessen mit diesem Briefe, wie mit allen übrigen, die sie dem Marquis schrieb. Regelmäßig erhielt sie nämlich von dem Marquis Briefe aus dem Ort datiert, wo das Regiment des Grafen de Saint Hermine stand; keiner dieser Briefe enthielt aber jemals eine Antwort auf das, was sie ihm geschrieben, und so mußte sie glauben, daß sich der Marquis, der ihre Briefe offenbar erhalten mußte, da er nie über ihr Stillschweigen klagte, jedes Gedankens an häusliche Angelegenheiten, an die Heimat entschlagen wolle. Der Marquis schrieb auch nun wieder kein einziges Wort von Charost und der Kaplanstelle. –
Anders sollte sich die Sache aufklären, als die Marquise es geglaubt, ja nur geahnt. Vignan, Parlamentsprokurator zu Paris, schrieb ihr, daß sich ein Polizeileutnant aus Auxerre an ihn gewandt, um zu erfahren, wo der Marquis de la Pivardiere, der sich lange dort aufgehalten und an den ein dortiges Frauenzimmer aus gewissen Verhältnissen entstandene Ansprüche habe, sich jetzt befinde.
Die Marquise hatte bis jetzt nicht das mindeste von ihres Gemahls Aufenthalt zu Auxerre gewußt; kein einziger seiner Briefe war von diesem Ort datiert gewesen. Dieser Umstand sowie das gewisse Verhältnis, in dem er dort mit einem Frauenzimmer gestanden haben sollte, beunruhigte die Marquise. Sie forschte weiter

nach und erfuhr bald, daß der Marquis schon seit langer Zeit den Kriegsdienst verlassen und sich in Auxerre aufgehalten. Dort hatte er sich mit einer Gastwirtstochter, namens Pillard, in einen Liebeshandel eingelassen, der ihm so wohlgefallen, daß er sich entschlossen, eine doppelte Rolle zu spielen, die des Marquis de la Pivardiere und die des Huissier Bouchet. Diesen Namen und Posten hatte er wirklich angenommen, sich einlogiert in den Gasthof des Vaters seiner Geliebten, dieser die Ehe versprochen und sie dann verführt. Erst später war es der Pillard gelungen, den richtigen Namen ihres Verführers zu erforschen. –
Das Gefühl des tiefsten Schmerzes, der kränkendsten Verbitterung, das die Marquise übermannte, als der verschmähte Charost ihr vor Augen trat, und das erst den Vater anklagte, hatte sich immer mehr und mehr gegen den Marquis gerichtet. *Ihn* sah sie für den an, der bestimmt gewesen, das zu vollenden, was der Vater begonnen, nämlich ihr Lebensglück zu zerstören. Sie vergaß, daß es nur ihr verkehrter Sinn gewesen, der sie dem Marquis in die Arme führte. –
Jene Verbitterung ging aber in den entschiedensten Haß über, als die Marquise sich überzeugte, daß sie ihr Lebensglück einem Elenden geopfert. Weniger lebhaft hätte die Marquise vielleicht das ihr geschehene Unrecht gefühlt, wäre Charost nicht aus der Verborgenheit hervorgetreten. – Kann ein Weib ihre erste einzige Liebe wegbannen aus dem Herzen? – Kann der Geliebte sich jemals umgestalten, ein anderer sein als eben

der Geliebte? – So kam es denn wohl auch, daß durch das Verhältnis mit Charost – war bei seiner anerkannten Frömmigkeit an die mindeste Überschreitung des strengsten Anstandes, viel weniger an ein Verbrechen nicht einmal zu denken – wenigstens in der Marquise ganz andere Ansprüche an das Leben im Bunde mit einem geliebten Manne erweckt wurden, als die sie sonst im Innern getragen. Aber die Ansprüche an ein nicht geahntes Lebensglück sah sie in dem Augenblicke der Erkenntnis vereitelt, und die Trostlosigkeit über diesen unwiederbringlichen Verlust mußte den Haß gegen den Marquis vermehren. Diesen Haß sprach sie bei jeder Gelegenheit auf das lebhafteste aus; sie versicherte, daß sie weit entfernt sei, ihre Rechte gegen den entarteten Gemahl auf irgendeine Weise geltend zu machen, daß ihr kein größeres Unheil geschehen könne, als wenn es dem Marquis einfallen sollte, zurückzukehren, daß sie dann jedes Mittel ergreifen würde, ihn aus dem Schlosse Nerbonne zu entfernen. Charost bemühte sich vergebens, das durch Liebe und Haß aufgeregte Gemüt der Marquise zu beschwichtigen oder es wenigstens dahin zu bringen, daß sie sich in den Ausbrüchen des heftigsten leidenschaftlichsten Zorns mäßige. – Der Marquis de la Pivardiere hatte sich heimlich aus Auxerre entfernt, teils weil er dem Verhältnis mit der Pillard überdrüssig, teils weil es ihm an Mitteln fehlte, das Leben dort auf die Weise fortzusetzen, wie er es gewohnt war. Er sah sich von seinen Gläubigern hart verfolgt; deshalb hielt er es für nötig,

zurückzukehren nach dem Schlosse Nerbonne, um sich Geld zu verschaffen.
Auf dieser Reise, die er zu Pferde zurücklegte, kam er nach Bourdieux, einem von dem Schlosse Nerbonne sieben Stunden entfernten Dorfe. Dort traf ihn, als er eben im Gasthofe frühstückte, ein Mensch aus dem Dorfe Jeu, namens Marsau, der den Marquis kannte und sich wunderte, ihn hier zu finden, da doch die Heimat so nahe. Der Marquis meinte, daß er in der Abenddämmerung seine Gemahlin zu überraschen gedenke. Marsau verzog bei dieser Äußerung des Marquis das Gesicht auf eine so seltsame Weise, daß es dem Marquis auffiel und er Böses ahnte. Marsau, ein hämischer, boshafter Mensch, erzählte dann auf weiteres Befragen ohne Rückhalt, daß ein neuer Kaplan, der Augustiner Franziskus Charost, sich indessen auf dem Schlosse eingefunden, dem die Marquise täglich, stündlich zu beichten habe, und daß daher die Marquise wirklich von dem Marquis gerade in der Andacht überrascht werden könne. Den Marquis traf es wie ein Blitz, als er den Namen des Beichtvaters hörte. Charost hatte gewiß niemals geahnt, daß de la Pivardiere, der ihm Freundschaft heuchelte, mit seinem Geheimnis bekannt, daß *er* es war, dem der Ritter du Chauvelin vertraute, wie er den vernichtet, der sich zum Liebhaber seiner Tochter aufdringen wollen, daß de la Pivardiere, der schon damals im Sinn trug, solle es auch noch so lange währen, die Hand der Marquise zu erkämpfen, das Seine dazu beitrug, die Verzweif-

lung des armen verschmähten Jünglings bis zu dem Grade zu steigern, daß er, jedem Hoffen entsagend, in ein Kloster flüchtete. –

Der Marquis, selbst im verbrecherischen Bündnis lebend, glaubte an das Verbrechen der Marquise um so leichter, als er wußte, welchen Eindruck damals der junge Charost auf sie gemacht. Er fühlte sich beschimpft durch denselben, der ihn in Gefahr gesetzt, seine Zwecke zu verfehlen. Im höchsten Unmut rief er aus: »Ha! – ich werde diesen heuchlerischen Pfaffen zu finden wissen; und dann mein Leben gegen das seine!«

Der Zufall wollt' es, daß gerade, als der Marquis diese Worte ausstieß, eine Magd von dem Schlosse Nerbonne in die Wirtsstube trat. Diese Magd, die schon als Kind den Marquis gekannt und die Marquise oft äußern gehört hatte, daß die Rückkunft ihres Gemahls ihr größtes Unglück sein würde, erschrak heftig, rannte nach dem Schloß und erzählte der Marquise, wen sie gesehen, was sie gehört.

Es war gerade Mariä Himmelfahrtstag, das Weihfest der Kapelle zu Nerbonne; Charost hatte am Morgen ein feierliches Hochamt, nachmittags die Vesper gehalten, und da jener kleine Zirkel der Nachbarn, deren schon vorhin namentlich gedacht wurde, bei der Marquise versammelt war, bat sie den Kapellan, den Abend bei ihr zu bleiben.

Sosehr die Marquise durch jene Nachricht erschüttert wurde, behielt sie doch Fassung genug, keinen von der

Gesellschaft, am wenigsten aber den Geistlichen etwas davon merken zu lassen, ungeachtet sie sein Leben bedroht glaubte und daher in aller Stille zwei Männer herbeirufen ließ, auf deren Mut und Treue sie sich verlassen konnte. Sie erschienen, der eine mit einer Flinte, der andere mit einem Säbel bewaffnet, und wurden von der Marquise in ein Kabinett gebracht, welches an den Speisesaal stieß.

Man hatte beinahe abgegessen, und die Marquise glaubte schon, daß der Marquis seine Drohung unerfüllt lassen würde, als er plötzlich eintrat in den Saal. Alle standen auf und bezeigten ihre Freude über die unverhoffte Rückkehr des Marquis. Vorzüglich war es Charost, der dem Marquis nicht genug versichern konnte, wie sehr er das Geschick preise, das den alten, niemals vergessenen Freund ihm endlich zurückführe. Nur die Marquise blieb ruhig auf ihrem Platze sitzen und würdigte den Marquis keines Blicks.

»Aber«, sprach endlich die Frau von Preville zu ihr, »aber mit Gott, Frau Marquise, ist das eine Art, den Gatten zu bewillkommnen, den man seit so langer Zeit nicht gesehen?«

»Ich«, nahm der Marquis das Wort, indem er einen stechenden Blick auf den Geistlichen warf, »ich bin ihr Gatte, das ist wahr; aber wie es mir bedünken will, nicht mehr ihr Freund!« – Darauf setzte sich der Marquis stillschweigend an die Tafel.

Man kann denken, daß die Gesellschaft nach diesem Auftritt sich vergebens mühte, die heitere Unterhal-

tung fortzusetzen, die vorher stattgefunden. Vorzüglich schien Charost in großer Bewegung, da eine ungewöhnliche Röte ihm ins Gesicht stieg. Er betrachtete den Marquis mit seltsamen Blicken; der Marquis schien das nicht zu bemerken, er aß und trank sehr eifrig. Die Verstimmung stieg von Minute zu Minute, und man trennte sich, als es eben zehn Uhr geschlagen. Der Herr von Preville bat den Marquis, drei Tage darauf bei ihm zu speisen, welches er zusagte. –
Die Marquise beharrte, als sie mit dem Marquis allein geblieben, im düstern, feindlichen Stillschweigen. Der Marquis fragte sie, indem er einen stolzen, gebieterischen Ton annahm, wodurch er ein so kaltes, verächtliches Betragen verdient habe.
»Geh«, erwiderte die Marquise, »geh nach Auxerre und frage die buhlerische Dirne, mit der du lebst seit langer Zeit, alle Ehre und Treue schändend, nach der Ursache meines Unwillens!« –
Der Marquis war im Innern zerschmettert, als er, was er nicht geahnt, die Marquise von seinem verbotenen Verhältnis unterrichtet fand, da er befürchten mußte, ließ die Marquise ihren Zorn nicht fahren, kam es zur Trennung, den Besitz des Schlosses Nerbonne, seine einzige Hülfsquelle, zu verlieren. Er bemühte sich, der Marquise darzutun, daß er nie in Auxerre gewesen, daß alles, was man ihr hinterbracht haben könne, boshafte, hämische Verleumdung sei; da erhob sie sich aber von ihrem Sitz und sprach, indem sie ihn mit einem entsetzlichen Blicke durchbohrte: »Elender

Heuchler, bald wirst du erfahren, was eine Frau meiner Art bei solcher Schmach zu beginnen vermag!« – Diese drohenden Worte gesprochen, entfernte sie sich in das Zimmer, wo ihre neunjährige Tochter schlief, und schloß sich ein. Der Marquis begab sich nach dem Zimmer, in dem er sonst mit seiner Gemahlin schlief, ließ sich von einem Bedienten des Hauses, namens Hybert, auskleiden, und legte sich ins Bette. Am andern Morgen war er spurlos verschwunden.

Alle Nachbarn waren in das tiefste Erstaunen versetzt über dies ganz unbegreifliche Verschwinden des Marquis. Die Marquise zeigte durchaus keine Veränderung in ihrem Betragen und versicherte, daß es sie sehr wenig kümmere, auf welche Weise der Marquis sich entfernt, den sie hoffe in ihrem ganzen Leben nicht wiederzusehen. Man erfuhr, daß der Marquis sein Pferd, seinen Mantel, seine Reitstiefeln zurückgelassen; unmöglich konnte er sich daher weit entfernt haben. Das Kammermädchen der Marquise, Margarete Mercier, hatte sich über das Verschwinden des Marquis in jener Nacht geäußert auf zweideutige Weise; das dumpfe Gerücht einer geschehenen Untat wurde lauter und lauter und klagte zuletzt die Marquise geradezu des Mordes ihres Gatten an, als jener Hybert, der, vor der Saaltür lauschend, das letzte Gespräch des Marquis mit seiner Gemahlin gehört hatte, die drohenden Worte der Marquise diesem und jenem ins Ohr sagte und hinzufügte, daß der Marquis wahrscheinlich tot sei.

Jedem, der an jenem verhängnisvollen Abend bei der Marquise gewesen, war ihr Betragen nur zu sehr aufgefallen und was man sonst für boshafte, hämische Verleumdung gehalten, nämlich daß die Marquise mit dem Augustiner Charost in verbrecherischen Verhältnissen lebe, fand nun Glauben. Diesem Verhältnis schrieb man die Untat zu.

Nur der Herr von Preville und seine Gattin konnten sich von der Möglichkeit, daß die Marquise zu solch einer entsetzlichen Tat fähig sein solle, nicht überzeugen. Sie benutzten den Augenblick, als die kleine neunjährige Pivardiere in ihr Haus gekommen, wie es öfters zu geschehen pflegte, da die Tochter des Herrn von Preville mit jenem Kinde in gleichem Alter und dessen Gespielin war, um womöglich in das Dunkel zu schauen, in welches die Ereignisse jener Nacht gehüllt waren.

Sie nahmen das Kind beiseite und fragten es behutsam, ob ihm in der Nacht, als der Vater verschwunden, nicht etwas Besonderes begegnet sei?

Die Kleine erzählte ohne allen Rückhalt, daß die Mutter sie an dem Abend in ein ganz entlegenes Zimmer geführt und ihr geheißen, dort zu schlafen, welches sonst niemals geschehen. In der Nacht sei sie durch ein starkes Geräusch aufgeweckt worden und habe eine klägliche Stimme rufen gehört: »Gerechter Gott! – habt Mitleid – erbarmt Euch meiner!« – Sie habe in großer Angst aus dem Zimmer laufen wollen, indessen die Türe verschlossen gefunden. Dann sei alles still geworden. Des andern Tages habe sie in dem Zimmer, wo der Vater geschlafen, Blutspuren am Boden bemerkt und die Mutter selbst blutige Tücher waschen gesehen.

War es denkbar, daß ein unschuldiges, unbefangenes Kind nicht die Wahrheit sagen, Umstände der Art erdichten sollte? Der Herr von Preville ließ das Kind seine Aussage vor mehreren glaubwürdigen, unverdächtigen Personen wiederholen und beide, er und seine Gattin, waren, je mehr sie sonst sich geneigt gefühlt, die Unschuld der Marquise zu behaupten, jetzt desto erbitterter auf ein Wesen, von dem sie sich auf die empörendste Weise getäuscht glauben mußten.

Der königliche Generalprokurator zu Chatillon-sur-Indre, von allem diesem unterrichtet, klagte die Marquise des Mordes an. Eine Gerichtsperson, namens Bonnet, erhielt den Auftrag der Untersuchung und begab sich zu dem Ende mit einem Gerichtsschreiber, namens Breton, nach dem Dorfe Jeu.

Der Marquise konnte nicht verschwiegen bleiben, was ihr drohte; sie nahm mit ihrer Zofe, Margarete Mercier geheißen, die Flucht und bestätigte so den entsetzlichen Verdacht, den man gegen sie hegte. Eine andere Magd der Marquise, namens Katharine Lemoine, sollte geradezu geäußert haben, daß sie bei dem Morde ihres Herrn zugegen gewesen. Sie wurde verhaftet und bald darauf auch Marguerite Mercier, die man zu Romorantin traf, wo sie von der Marquise zurückgelassen worden war.

Beide erzählten auf beinahe völlig gleiche Weise die gräßliche Tat mit allen Umständen, so daß an der Wahrheit ihrer Aussagen nicht zu zweifeln war.
Als die Marquise (so lautete jene Aussage) sich überzeugt hatte, daß der Marquis eingeschlafen, entfernte sie soviel möglich alles Hausgesinde und brachte ihre neunjährige Tochter auf ein Zimmer des obern Stocks, wo sie dieselbe einschloß. Mit dem Glockenschlag zwölf wurde an das Schloßtor gepocht. Die Marquise befahl der Mercier, Licht anzuzünden und zu öffnen. Sie tat es, und der Augustiner Charost trat ein, begleitet von zwei Männern, von denen der eine mit einem Gewehr, der andere aber mit einem Säbel bewaffnet war. »Es ist nun Zeit«, rief die Marquise dem Charost entgegen, und alle begaben sich leisen Trittes nach dem Zimmer des Marquis. Einer von den Männern zog den Vorhang des Bettes auf. Der Marquis hatte sich bis an das Kinn in die Bettdecke eingehüllt und schlief fest. Als ihm aber der Mann die Decke wegziehen wollte, fuhr er erwachend in die Höhe; in demselben Augenblick drückte der andere sein Gewehr auf den Marquis ab und traf ihn, jedoch nicht zum Tode.
Blutbesudelt warf er sich hinaus in die Mitte des Zimmers und flehte um sein Leben, jedoch vergebens. »Vollendet!« rief die Marquise den Männern zu. Da schrie der Marquis in voller Verzweiflung: »Grausames Weib, kann dich denn nichts rühren? Kann deinen Haß denn nichts versöhnen als mein Blut? – Nie sollst du mich wiedersehen, alle Ansprüche gebe ich auf, nur

schenke mir mein Leben!« – »Vollendet!« rief die Marquise noch einmal, indem die Wut der Hölle aus ihren Augen blitzte. Nun warfen sich alle drei, Charost und die beiden Männer, über den Marquis her und versetzten ihm mehrere Stiche. Als sie endlich von ihm abließen, röchelte er noch; da riß die Marquise dem einen der Mörder den Säbel aus der Hand, stieß ihn dem Marquis in die Brust und endete seinen Todeskampf. – Eben in diesem Augenblicke trat Katharine Lemoine, die von der Marquise nach der nahe gelegenen Meierei geschickt worden, hinein, so daß sie die Tat der Marquise mit ansah. Sie wollte aufschreien vor Entsetzen; die Marquise rief den Männern zu, sie sollten dem Mädchen ein Tuch in den Mund stecken; diese erwiderten indessen, das sei gar nicht nötig, da sie das Mädchen beim ersten Laut niederstoßen würden. Darauf trugen die beiden Männer den Leichnam fort. Während ihrer Abwesenheit ließ die Marquise das Zimmer sorglich reinigen, indem sie selbst Asche herbeibrachte, und die blutbefleckten Betten und Bettücher nach dem Keller tragen. Zwei Stunden darauf kehrten die Männer zurück. Die Marquise bewirtete sie, aß und trank selbst mit ihnen, und dann entfernten sie sich mit Charost.
Eben jener Hybert, von dem auch das Gerücht der Ermordung des Marquis ausgegangen, sollte ebenfalls in das Zimmer eingedrungen sein. Er gestand, daß er durch einen Schuß geweckt worden und geglaubt, daß der Marquis von Räubern überfallen worden sei. Des-

halb sei er nach des Marquis Zimmer gelaufen. Kaum habe er indessen die Türe geöffnet, als die Marquise ihm entgegengesprungen und gedroht, ihn auf der Stelle niedermachen zu lassen, wenn er sich nicht entferne. Später habe er dem Charost einen schweren Eid ablegen müssen über alles, was er in jener Nacht gesehen oder sonst bemerkt habe, zu schweigen. Auch Hybert sollte verhaftet werden; er entfloh indessen und war nicht wieder aufzufinden.

Charost hiernach der Teilnahme an der gräßlichen Ermordung des Marquis de la Pivardiere angeklagt, wurde mit Zustimmung des bischöflichen Vikars zu Bourges verhaftet. Kaum war indessen diese Verhaftung erfolgt, als die Marquise de la Pivardiere aus ihrem Schlupfwinkel hervortrat und sich freiwillig zur Haft stellte.

Nur eine augenblickliche Schwäche, erklärte sie, nur die Furcht vor Mißhandlungen habe sie vermocht, nicht zu fliehen, sondern sich bei ihrer Freundin, der Marquise d'Auneuil, zu verbergen. Sie glaubte ihre Unschuld gar nicht einmal beteuern zu dürfen, denn betrachte man ihr ganzes Leben, ihre Sinnesart, so sei es Wahnsinn, sie solch einer gräßlichen Tat für fähig zu achten. Von der strengsten Untersuchung habe sie daher nichts zu fürchten, sondern nur zu hoffen gehabt, daß das Gewebe der verächtlichsten Bosheit oder unbegreiflicher Irrungen zerrissen werden und sie frei dastehen müsse, von der Schuld gereinigt, ohne daß ihre Gegenwart bei dem Verfahren nötig. Anders stehe nun aber die Sache, da ihr Beichtvater, der Augustiner Charost, der Mitschuld angeklagt worden. Jetzt müsse sie gleiches Schicksal mit dem teilen, dessen Tugend und Frömmigkeit die beste Schutzwehr sei gegen jeden verruchten Frevel. In der Glorie seiner Schuldlosigkeit werde sie erst die Wonne wiedererlangter Freiheit fühlen, und darum scheue sie nicht mehr den Kerker.

Charost erhob mild lächelnd den Blick gen Himmel, als man ihn mit der wider ihn gerichteten Anklage bekannt machte. Ohne sich auf viele Beteuerungen seiner Unschuld einzulassen, begnügte er sich zu sagen, daß er die Anklage, die der Lügengeist der Hölle selbst erfunden, für eine neue Prüfung halte, die ihm der Himmel auferlegt und der er sich in Demut unterwerfen müsse.

Unerachtet durch jene Aussagen der Mägde, die mit allen ausgemittelten Nebenumständen in vollem Zusammenhange standen, das Verbrechen so gut als erwiesen schien, blieben beide, die Marquise und Charost, bei der Versicherung ihrer Unschuld stehen. Diese Festigkeit, das ruhige, gleichmütige Betragen bei allen unzähligen Verhören, das sonst für die Schuldlosigkeit der Angeklagten spricht, diente den Richtern nur dazu, die Marquise und Charost der tiefsten, abscheulichsten Heuchelei zu zeihen.

Diese Stimmung der Richter teilte sich allen, die sonst die Marquise hoch verehrt hatten, ja selbst dem Volke, mit. Als die Gerichtsdiener sich im Schloß Nerbonne befanden, um alles dort in Beschlag zu nehmen, dran-

gen eine Menge Menschen, die herbeigelaufen, ein, zerschlugen Fenster, Türen, Gerätschaften, verwüsteten das ganze Schloß, das einer Ruine glich. –
Vergebens blieb alles Mühen, den Leichnam des Marquis de la Pivadiere aufzufinden, und auf diesen Umstand beriefen sich die Verteidiger der Angeklagten, um darzutun, daß, der Zeugenaussagen ungeachtet, der Beweis der Tat gegen die Marquise und Charost nicht vollständig geführt sei. Dies gab nun den Gerichtspersonen, die mit ungewöhnlichem Eifer die Spur des Verbrechens verfolgten, Anlaß, noch einmal in der Nähe des Schlosses überall, wo es nur denkbar schien, daß der Leichnam verscharrt sein könnte, die Erde durchwühlen zu lassen. Bonnet hatte sich nämlich nun einmal in den Kopf gesetzt, daß die Mörder den Leichnam des Marquis ganz nahe dem Schlosse vergraben haben müßten.
Ein seltsames Gerücht verbreitete sich. Man sagte nämlich, daß, als Bonnet eben im Begriff gewesen, irgendwo nachgraben zu lassen, um den Leichnam aufzufinden, ihm der Marquis leibhaftig erschienen sei und mit fürchterlicher Stimme zugerufen habe, er solle sich nicht unterfangen, den unter der Erde zu suchen, dem der Himmel die Gunst solcher Ruhe nicht verliehen. Dann (so fügte man hinzu) habe der Geist des Marquis mit schrecklichen Worten die Marquise und Charost des Mordes angeklagt. Voll Entsetzen sei Bonnet entflohen. –
Mochte es nun mit der Erscheinung des Marquis eine

Bewandtnis haben, welche es wolle, soviel war gewiß, daß Bonnet in eine schwere Krankheit verfiel und in kurzer Zeit starb.

Das Gericht zu Chatillon hielt die Zusammenstellung der Marquise mit Charost für nötig. Die Marquise erschien vor den Schranken mit der Ruhe und Fassung, die sie stets behauptet; als aber Charost hineingeführt wurde, da stürzte sie ganz jammer- und verzweiflungsvoll ihm zu Füßen und schrie mit einer Stimme, die das Herz zerschnitt: »Mein Vater – mein Vater! – warum straft mich der Himmel so schrecklich? – Gibt es droben eine Seligkeit, die diese Qualen wegtilgt? – Ihr meinethalben zum schmachvollen Tode geführt? – Aber nein, nein! – Es wird, es muß ein Wunder geschehen! – Auf der Richtstätte öffnet sich über Euch die Glorie des Himmels – verklärt steigt Ihr empor, alles Volk sinkt anbetend nieder.« – »Beruhigt Euch«, sprach Charost, indem er sich bemühte, die Marquise aufzurichten, »beruhigt Euch, Frau Marquise! Es ist eine harte Prüfung, die der Himmel über uns verhängt. Sagt nicht, daß ich Eurethalben sterbe, nein, nur ein gleiches Geschick bringt uns vielleicht beiden den Tod. Seid Ihr denn nicht ebenso frei von Schuld als ich?«

»Nein, nein«, rief die Marquise heftig, »nein, nein, ich sterbe schuldig. O mein Vater! Ihr hattet recht, weltliche Rache ergreift die Verbrecherin!«

Das Gericht glaubte in diesen Worten der Marquise ein Geständnis der Tat zu finden und drang aufs neue in sie, nun nicht länger mit der Wahrheit zurückzuhal-

ten, die ihr sonst die Marter der Tortur entreißen müsse.
Da wiederholte die Marquise, indem sie plötzlich Fassung und Ruhe gewonnen, daß sie an der Tat unschuldig sei, daß sie auch keine Ahnung davon habe, auf welche Weise der Marquis spurlos verschwunden.
Charost beteuerte ebenfalls in den rührendsten Ausdrücken, daß die Marquise ebenso frei von Schuld sei als er selbst und daß, wenn sie sich vielleicht in anderer Hinsicht schuldig fühle, er ein Vergehen ahne, das keiner weltlichen Rüge unterliegen könne.
Auch diese Äußerung des Geistlichen fand das Gericht sehr zweideutig und verdächtig. Man beschloß, zur Tortur zu schreiten.
Die Marquise, im Entsetzen verstummt, schien ein lebloses Bild; Charost erklärte, daß, wenn irdische Schwachheit so viel über ihn vermögen könne, daß er irgendeine Untat gestehen sollte, er im voraus dies Geständnis, welches ihm die Qual entrissen, als falsch widerrufen müsse.
Beide, die Marquise und Charost, sollten abgeführt werden; da entstand draußen ein Geräusch, die Türen des Gerichtssaals öffneten sich und herein trat – der ermordet geglaubte Marquis de la Pivardiere!
Nachdem er einen flüchtigen Blick auf die Marquise und Charost geworfen, trat er vor die Schranken und erklärte den Richtern, wie er glaube, nicht besser dartun zu können, daß er nicht ermordet, als indem er sich dem Gericht persönlich darstelle.

Zu gleicher Zeit überreichte er einen von dem Richter zu Romorantin aufgenommenen Akt, nach welchem er von mehr als zweihundert Personen wirklich für den Marquis de la Pivardiere anerkannt worden war. Am Fest des heiligen Antonius war er gerade während der Vesper in die Kirche zu Jeu getreten, und seine Erscheinung hatte die ganze Gemeinde in Schrecken gesetzt, da alle auf den ersten Blick den ermordet geglaubten Marquis de la Pivardiere erkannten und ein Gespenst zu sehen meinten. Außerdem hatten die Augustiner zu Miseray sowie die Amme seiner Tochter bezeugt, daß er wirklich kein anderer sei als der Marquis. – Von den Richtern dazu aufgefordert, erzählte er die Art, wie er aus dem Schlosse verschwunden, auf das genaueste.

Vor Unruhe und Bestürzung konnte der Marquis in jener verhängnisvollen Nacht nicht einschlafen. Auf den Glockenschlag zwölf Uhr hörte er an das Tor des Schlosses pochen und eine bekannte Stimme rufen: »Herr Marquis – Herr Marquis – öffnet, wir kommen, Euch zu retten aus einer Gefahr, die Euch droht!« Er stand auf und fand vor der Türe den François Marsau aus Jeu mit zwei Männern, von denen der eine mit einer Flinte, der andere aber mit einem Säbel bewaffnet war. Marsau sagte dem Marquis, daß bei ihm Gerichtsdiener eingekehrt wären, die den Befehl hätten, ihn auf Anlaß einer von der Pillard wegen Eheversprechens erhobenen Klage zu verhaften, und daß nur schleunige Flucht ihn retten könne.

Der Marquis, aufgeregt durch den Vorfall am Abend, sah sich verloren; er mußte strenge Strafe befürchten wegen des Attentats doppelter Ehe; er sah sich verlassen, ausgestoßen von der Marquise, und entschloß sich, auf der Stelle zu fliehen. Sein Pferd war lahm; der Mantel, die Reitstiefel, seine Pistolen, alles dies konnte seine schnelle Flucht nur hindern. Zu Fuße folgte er dem Marsau und den beiden Männern, die ihn gegen jeden Angriff zu schützen versprachen. Er kam glücklich durch Jeu und in Sicherheit. Noch in dem Zimmer, als der Marquis beschäftigt war, das Notwendigste einzupacken, ging dem einen der Männer das Gewehr los; der Marquis hörte Tritte nahen und die Türe des Zimmers wurde geöffnet. Der Marquis schlug sie aber wieder zu und floh, als es im Schlosse wieder ruhig geworden. Rastlos schwärmte der Marquis im Lande umher, ohne einen Aufenthalt finden zu können, wo er sich sicher glaubte. Auf diesen Streifereien kam er nach Flavigny und hier erst erfuhr er, daß die Marquise und Charost angeklagt worden, ihn ermordet zu haben. Von dieser Nachricht erschüttert, beschloß er, zurückzukehren in die Heimat und so, die eigne Gefahr nicht achtend, die abscheuliche Anklage zu widerlegen. Auch konnte er wohl glauben, daß sich nun sein Verhältnis mit der Marquise, wenn sie durch ihn der Schmach und dem Tode entronnen, ganz anders gestalten werde. Nicht fern von dem Schlosse Nerbonne traf er auf Bonnet, wie er nach dem Leichnam des Marquis nachgraben ließ. Der Marquis rief ihm zu, daß er nicht nötig habe, den unter der Erde zu suchen, der noch über der Erde wandle, und forderte ihn auf, einen Akt aufzunehmen über sein Erscheinen. Statt dessen warf sich aber Bonnet aufs Pferd und floh, so schnell er konnte. Der Gerichtsschreiber folgte seinem Beispiel, und nur die beiden Bauern aus Nerbonne, die Bonnet mitgenommen, um zu graben, hielten Stich und erkannten ihren Herrn. Als der Marquis zu seinem Schreck, zu seinem Entsetzen, statt des Schlosses Nerbonne eine Ruine fand, begab er sich nach Jeu, besorgte zu Romorantin den Akt seines Anerkenntnisses und kam dann nach Chatillon, um sich dem Gericht darzustellen.

Man hätte denken sollen, daß die Rückkehr des Marquis der ganzen Anklage der Marquise und ihres Beichtvaters hätte ein Ende machen müssen; dies aber war nicht der Fall und konnte nicht der Fall sein. Außerdem, daß die Aussagen der beiden Mädchen noch in ihrer Kraft blieben, so trug auch die Erzählung des Marquis viel Unwahrscheinliches in sich; vorzüglich schien aber das Benehmen der Marquise gar befremdend. Ohne Überraschung oder Erstaunen zu zeigen, betrachtete sie den angeblichen Marquis mit durchdringendem Blick, und ein bitteres, verhöhnendes Lächeln ließ besondere Dinge ahnen, die in ihrer Seele vorgingen. Man konnte glauben, daß sie das Erscheinen einer Person, die den Marquis de la Pivardiere spielen sollte, vorher gewußt, und daß sie nur gespannt war, wie die Figur, die freilich, was Ansehen, Sprache,

Gang, Stellung betrifft, ganz der Marquis schien, ihre Rolle spielen würde.
Anders hatte sich Charost benommen, der, sowie der angebliche Marquis eintrat, mit gefalteten Händen den Blick gen Himmel erhob und zu beten schien.
Das Gericht ließ die Marquise nebst Charost ins Gefängnis zurückführen und beschloß durch die strengste, genaueste Untersuchung rücksichts des angeblichen Marquis de la Pivardiere die Wahrheit zu erforschen, unerachtet jener Akt des Richters zu Romorantin die Sache zu entscheiden schien.
Noch in frischem Andenken war ein Betrüger, der, die auffallende Ähnlichkeit mit einem gewissen Martin Guere nutzend, sich für diesen ausgab und drei Jahre hindurch eine ganze Stadt, ja selbst Frau und Kinder des Guere täuschte, bis dieser selbst zurückkam und so sich der Betrug offenbarte, den der Verbrecher mit dem Tode büßte.
Man fing damit an, den angeblichen Marquis den beiden verhafteten Mägden, der Mercier und der Lemoine vorzustellen, die beide einstimmig behaupteten, daß die ihnen vorgestellte Person keineswegs der Marquis de la Pivardiere sei, wiewohl er große Ähnlichkeit mit demselben habe. Neuer Verdachtsgrund wider die Marquise und Charost! –
Es würde ermüdend sein, alle die Maßregeln zu erwähnen, die das Gericht nun noch nahm, um zu erforschen, inwiefern die Person, die so unerwartet als Marquis de la Pivardiere aufgetreten, wirklich derselbe

sei. Es genügt, die entscheidende Ausmittelung zu erwähnen, welche zu Valence erfolgte. Hier lebten in dem Kloster der Ursulinernonnen zwei Schwestern des Marquis, und auch die Äbtissin des Klosters hatten ihn von frühester Jugend auf gekannt. Diese drei Personen hegten auch nicht den mindesten Zweifel gegen die Person des Marquis, nachdem sie drei Wochen mit ihm zusammen gewesen, und er selbst sie auf die kleinsten, unbedeutendsten Züge aus ihrem Jugendleben gebracht hatte.

Daß die völlige Gleichheit der Handschrift des angeblichen Marquis mit dem wirklichen, daß gewisse eigentümliche Gewohnheiten, nur von den vertrautesten Freunden bemerkt, jenen Anerkenntnissen von mehr als dreihundert Personen noch mehr Gewicht gaben, ist gewiß. – Genug! – nach allen Regeln des Rechts mußte das Gericht annehmen, daß der Beweis über die Person des Marquis de la Pivardiere auf das vollständigste geführt sei.

Nicht des Mordes irgendeiner Person im allgemeinen, sondern der Ermordung des Marquis de la Pivardiere waren aber die Marquise und Charost angeklagt; wurde daher das Leben des Marquis vollkommen nachgewiesen, so mußte jene Anklage falsch sein. Auf diesen bündigen Schluß stützten die Gerichte die völlige Freisprechung der angeklagten Personen.

War aber ferner jene Anklage falsch, so mußten die Personen, auf deren Aussage sich dieselbe bezog, falsch Zeugnis abgelegt haben. Dies gab Anlaß zum

Verfahren gegen die Katharine Lemoine und die Marguerite Mercier.
Wer hätte beide nicht der Arglist und Bosheit anklagen sollen, und doch waren sie unschuldig!
Die Mercier wurde in jener Nacht durch das Klopfen am Schloßtor geweckt. Sie stand auf, weckte die Lemoine, und beide sahen durchs Fenster, wie eben drei Personen in die Türe des Schlosses traten, wovon zwei mit einer Flinte und mit einem Säbel bewaffnet waren. Sie konnten dies im Schimmer eines Lichts, der aus der geöffneten Türe hervorbrach, deutlich erkennen. Bald darauf hörten sie ein Geräusch im Zimmer des Marquis, eine klagende Stimme und dann einen Schuß; darauf wurde es still. Nun wagten sie sich heraus auf den Gang; hier begegneten sie dem Hybert, der ganz verstört und außer sich schien und sie zurücktrieb in ihre Kammer, da sie sonst ermordet werden könnten. Am andern Morgen, als der Marquis verschwunden, vertraute ihnen Hybert, daß er, als der Schuß gefallen, nach dem Zimmer des Marquis gelaufen und eindringen wollte. Er sei aber hinausgedrängt und die Türe zugeschlagen worden. Er habe indessen in der Stube die Marquise und Charost sehr deutlich bemerkt, und der Marquis habe in seinem Blute schwimmend auf der Erde gelegen. Gewiß sei es, daß der Marquis ermordet und sein Leichnam von den beiden fremden Männern weggebracht worden sei. Nur eine Silbe davon zu sprechen bringe sie aber alle in Gefahr, da sie ganz gewiß als Mitschuldige des Mordes angesehen würden.

Die Lemoine hatte bemerkt, wie die Marquise an jenem Abend mit zwei bewaffneten Männern gesprochen, und erwägten nun alle drei den von der Marquise geäußerten Haß gegen den Marquis, ihre drohenden Worte und dann das unerklärliche Verschwinden des Marquis; so war es wohl natürlich, daß das, was Hybert wirklich gesehen haben wollte, den Ausschlag gab und alle drei fest in ihrer Seele überzeugt waren, daß die Marquise und Charost den Marquis habe ermorden und den Leichnam fortbringen lassen.
Nur dem, der als geübter Schauspieler im Leben auftritt, möchte es wohl gelingen, den Eindruck irgendeiner entsetzlichen Tat ganz im Innern zu verschließen; Leuten wie Hybert, die Lemoine, die Mercier bleibt es unmöglich; daher kamen jene zweideutigen, verdächtigen Äußerungen, die das böse Gerücht wider die Marquise und Charost erzeugten und zuletzt die Anklage veranlaßten.
Bonnet war (wie es kein Richter sein soll) leidenschaftlich im höchsten Grade, voller Vorurteile, befangen in jeder Art, und noch dazu mit der Familie des Augustiners Charost verfeindet.
Er ging von der festen Überzeugung aus: die Marquise lebte mit Charost im verbotenen Liebesverständnis; ganz unerwartet und sehr zu unrechter Zeit kommt der Marquis zurück, und sein Benehmen entflammt noch mehr den Haß der Marquise und läßt sie jedes Mittel ergreifen, ihn fortzuschaffen: Der Mord wird beschlossen und ausgeführt. Es ist unmöglich, daß

ohne Wissenschaft und Mitwirkung der Dienerschaft die Tat geschehen konnte; diese müssen von allen Umständen unterrichtet sein.
Bonnet nahm hiernach keinen Anstand, die Mercier und die Lemoine mit dem Tode zu bedrohen, wenn sie nicht alles gestehen würden, und fragte alles aus ihnen heraus, was er nur wollte. Die Methode dabei ist sehr leicht.
»Hast du«, fragte z. B. Bonnet, »hast du nicht selbst gesehen, wie Charost über den Marquis herfiel?« – »Nein, mein Herr«, antwortete die Befragte, »das habe ich nicht gesehen.«
»Gestehe«, donnerte Bonnet heraus, »oder du wirst augenblicklich gehängt!« – »Ja, ja«, spricht jetzt das arme Ding in der entsetzlichen Angst, »Charost fiel her über den Marquis usw.«
Mehrere Personen, welche beide, die Lemoine und die Mercier, im Gefängnisse gesprochen hatten, beurkundeten, daß die Mädchen über Bonnets Verfahren bitter geklagt und gewünscht, vor einen andern Richter gestellt zu werden, damit sie die Wahrheit sagen könnten, nämlich daß sie den Mord nur *vermutet*. Was aber wichtiger einwirkte, Breton, der Gerichtsschreiber, mußte zugestehen, daß Bonnet ganz so, wie es die beiden Mädchen behaupteten, verfahren; ja, daß er einmal, als die Mercier irgendeinen Umstand, den er im Kopfe ausgebrütet, nicht gestehen wollen, ein Messer aus der Tasche gezogen und gedroht, ihr augenblicklich die Finger abzuschneiden, wenn sie nicht gestehen

werde. Noch mehr! – Schließer und Schließerin des Gefängnisses, wo die Mädchen saßen, mußten ihnen, so hatte es Bonnet verordnet, den ganzen Tag über wiederholen, daß sie gehängt werden würden, wenn sie das mindeste von dem, was sie ausgesagt, zurücknehmen. Dies veranlaßte auch, daß sie anfangs den zurückgekehrten Marquis nicht anerkennen wollten.
Merkwürdig genug war es auch, daß die kleine Pivardiere, die ihren Vater augenblicklich wiedererkannte, versicherte, sie wisse nicht, wie sie dazu gekommen, das alles dem Herrn von Preville so zu sagen, wie er es ihr nachgesprochen. Aber sie sei so scharf befragt worden, so in Angst geraten, und in der Tat habe sie auch jene Nacht in einem andern Zimmer geschlafen usw. – Ganz Paris, das von der Untat der Marquise erfüllt gewesen, feierte jetzt ihren Triumph, und gerade diejenigen, die sie am schonungslosesten verdammt hatten, ohne an die Möglichkeit ihrer Unschuld zu denken, erschöpften sich jetzt in dem übertriebensten Lob. Der Graf von Saint Hermine, der den ermordeten Marquis de la Pivardiere als einen rechtschaffenen tapfern Mann bedauert, erklärte jetzt, da er lebte, daß er ein großer Taugenichts sei, der der gerechten Strafe nicht entgehen werde.
Die tätige Duchesse d'Aiguisseau übernahm es, der Marquise die Glückwünsche der Pariser Welt zu überbringen und sie dorthin einzuladen, um aufs neue die Zirkel zu beleben, in denen sie sonst geglänzt.
Sie fand die Marquise von tiefem Gram entstellt und

in jener teilnahmslosen Ruhe, die von gänzlicher Entsagung zeugt. »Was sprecht Ihr?« rief die Duchesse ganz bestürzt, als die Marquise versicherte, sie wäre nicht schuldlos gestorben, sondern hätte ein Verbrechen mit dem Tode gebüßt. »Ich halte es«, erwiderte die Marquise, indem ein düsteres Feuer in ihren Augen aufflammte, »ich halte es nicht für möglich, daß Ihr, Frau Duchesse, an ein Verbrechen denken könnt, das nur sündigt gegen irdisches Gesetz? – Ach, ich liebte ihn – ich liebte ihn noch, als er zu mir trat, ein Bote des Himmels, mich zu versöhnen mit der ewigen Macht; und diese Liebe, nur diese Liebe war mein Verbrechen!«

Viele, sehr viele hätten die Marquise nicht verstanden. Auch die Duchesse verstand sie nicht und war nicht wenig betreten, den Parisern keine andere Nachricht von der Marquise mitbringen zu können, als daß sie, weit entfernt, in das bunte Gewühl der Welt zurückzukehren, ihre Tage in einem Kloster zubringen wolle.

Diesen Entschluß führte die Marquise auch wirklich aus, ohne daß sie zu bewegen gewesen, den Marquis wiederzusehen. Auch Charost sprach sie nicht mehr, der im Glanze seiner Unschuld und Frömmigkeit zurückkehrte in die Abtei zu Miseray.

Der Marquis de la Pivardiere nahm wieder Kriegsdienste und fand bald in einem Gefecht mit Schleichhändlern seinen Tod.

Der Artushof

Gewiß hast du, günstiger Leser! schon recht viel von der alten merkwürdigen Handelsstadt Danzig gehört. Vielleicht kennst du all das Sehenswerte, was sich dort befindet, aus mancher Beschreibung; am liebsten sollt' es mir aber sein, wenn du selbst einmal in früherer Zeit dort gewesen wärest und mit eigenen Augen den wunderbaren Saal geschaut hättest, in den ich jetzt dich führen will. Ich meine den Artushof. – In den Mittagsstunden wogte drängend und treibend der Handel den mit Menschen der verschiedensten Nationen gefüllten Saal auf und ab, und ein verwirrtes Getöse betäubte die Ohren. Aber wenn die Börsenstunden vorüber, wenn die Handelsherren bei Tische saßen und nur einzelne geschäftig durch den Saal, der als Durchgang zwei Straßen verbindet, liefen, dann besuchtest du, günstiger Leser, der du in Danzig warst, den Artushof wohl am liebsten. Nun schlich ein magisches Helldunkel durch die trüben Fenster, all das seltsame Bild- und Schnitzwerk, womit die Wände überreich verziert, wurde rege und lebendig. Hirsche mit ungeheuern Geweihen, andere wunderliche Tiere schauten mit glühenden Augen auf dich herab, du mochtest sie kaum ansehen; auch wurde dir, je mehr die Dämmerung eintrat, das marmorne Königsbild in der Mitte nur desto schauerlicher. Das große Gemälde, auf dem alle Tugenden und Laster versammelt mit beigeschriebenen Namen, verlor merklich von der Moral, denn schon schwammen die Tugenden unkenntlich hoch im grauen Nebel, und die Laster, gar wunderschöne Frauen in bunten, schimmernden Kleidern, traten recht verführerisch hervor und wollten dich verlocken mit süßem Gelispel. Du wandtest den Blick lieber auf den schmalen Streif, der beinahe rings um den Saal geht und auf dem sehr anmutig lange Züge buntgekleideter Miliz aus alter reichsstädtischer Zeit abgebildet sind. Ehrsame Bürgermeister mit klugen, bedeutsamen Gesichtern reiten voran auf mutigen, schön geputzten Rossen, und die Trommelschläger, die Pfeifer, die Hellebardierer schreiten so keck und lebendig daher, daß du bald die lustige Soldatenmusik vernimmst und glaubst, sie werden nun gleich alle zu jenem großen Fenster dort hinaus auf den langen Markt ziehen. – Weil sie denn nun fortziehen wollten, konntest du nicht umhin, günstiger Leser, insofern du nämlich ein rüstiger Zeichner bist, mit Tinte und Feder jenen prächtigen Bürgermeister mit seinem wunderschönen Pagen abzukonterfeien. Auf den Tischen ringsumher lag ja sonst immer auf öffentliche Kosten Papier, Tinte und Feder bereit, das Material war also bei der Hand und lockte dich unwiderstehlich an. Dir, günstiger Leser! war so etwas erlaubt, aber nicht dem jungen Kaufherrn Traugott, der über ähnlichem Beginnen in tausend Not und Verdruß geriet. – »Avisieren Sie doch sogleich unsern Freund in Hamburg von dem zustande gekommenen Geschäft, lieber Herr Traugott!« – So sprach der Kauf- und Handelsherr Elias Roos, mit dem Traugott nächstens in Kompagnie gehen und dessen einzige Tochter Christina er heiraten sollte. Traugott fand mit Mühe ein Plätzchen an den besetzten Tischen, er nahm ein Blatt, tunkte die Feder ein und wollte eben mit einem kecken, kalligraphischen Schnörkel beginnen, als er, nochmals schnell das Geschäft, von dem er zu schreiben hatte, überdenkend, die Augen in die Höhe warf. – Nun wollte es der Zufall, daß er gerade vor den in einem Zuge abgebildeten Figuren stand, deren Anblick ihn jedesmal mit seltsamer, unbegreiflicher Wehmut befing. – Ein ernster, beinahe düsterer Mann mit schwarzem, krausen Barte ritt in reichen Kleidern auf einem schwarzen Rosse, dessen Zügel ein wundersamer Jüngling führte, der in seiner Lockenfülle und zierlicher bunter Tracht beinahe weiblich anzusehen war: Die Gestalt, das Gesicht des Mannes erregten dem Traugott innern Schauer, aber aus dem Gesichte des holden Jünglings strahlte ihm eine ganze Welt süßer Ahnungen entgegen. Niemals konnte er loskommen von dieser beider Anblick, und so geschah es denn auch jetzt, daß, statt den Aviso des Herrn Elias Roos nach Hamburg zu schreiben, er nur das wundersame Bild anschaute und gedankenlos mit der Feder auf dem Papier herumkritzelte. Das mochte schon einige Zeit gedauert haben, als ihn jemand hinterwärts auf die Schulter klopfte und mit dumpfer Stimme rief: »Gut, – recht gut! – so lieb' ich's, das kann was werden!« – Traugott kehrte sich aus dem Traume erwachend rasch um, aber es traf ihn wie ein Blitzstrahl – Staunen, Schrecken machten ihn sprachlos, er starrte hinein in das Gesicht des düstern Mannes, der vor ihm abgebildet. Dieser war es, der jene Worte sprach, und neben ihm stand der zarte wundersame Jüngling und lächelte ihn an wie mit unbeschreiblicher Liebe. Sie sind es ja selbst, so fuhr es dem Traugott durch den Sinn. – Sie sind es ja selbst! – Sie werden nun gleich die häßlichen Mäntel abwerfen und dastehen in glänzender, altertümlicher Tracht! – Die Menschen wogten durcheinander, verschwunden im Gewühl waren bald die fremden Gestalten, aber Traugott stand mit seinem Avisobriefe in der Hand, wie zur starren Bildsäule geworden, auf derselben Stelle, als die Börsenstunden längst vorüber und nur noch einzelne durch den Saal liefen. Endlich wurde Traugott Herrn Elias Roos gewahr, der mit zwei fremden Herren auf ihn zuschritt. »Was spintisieren Sie noch in später Mittagszeit, werter Herr Traugott«, rief Elias Roos, »haben Sie den Aviso richtig abgeschickt?« – Gedankenlos reichte Traugott ihm das Blatt hin, aber da schlug Herr Elias Roos die Fäuste über dem Kopf zusammen, stampfte erst ein klein wenig, dann aber sehr stark mit dem rechten Fuße und schrie, daß es im Saale schallte: »Herr Gott! – Herr Gott! – Kinderstreiche! – dumme Kinderstreiche! –

Verehrter Traugott – korrupter Schwiegersohn – unkluger Associé. – Ew. Edlen sind wohl ganz des Teufels? – Der Aviso – der Aviso, o Gott! die Post!« – Herr Elias Roos wollte ersticken vor Ärger, die fremden Herren lächelten über den wunderlichen Aviso, der freilich nicht recht brauchbar war. Gleich nach den Worten: Auf Ihr Wertes vom 20sten hujus uns beziehend, hatte nämlich Traugott in zierlichem kecken Umriß jene beiden wundersamen Figuren, den Alten und den Jüngling, gezeichnet. Die fremden Herren suchten den Herrn Elias Roos zu beruhigen, indem sie ihm auf das liebreichste zusprachen; der zupfte aber die runde Perücke hin und her, stieß mit dem Rohrstock auf den Boden und rief: »Das Satanskind, – avisieren soll er, macht Figuren – zehntausend Mark sind – fit!« – Er blies durch die Finger und weinte dann wieder: »Zehntausend Mark!« – »Beruhigen Sie sich, lieber Herr Roos«, sprach endlich der ältere von den fremden Herren, »die Post ist zwar freilich fort, in einer Stunde geht indessen ein Kurier ab, den ich nach Hamburg schicke, dem gebe ich Ihren Aviso mit, und so kommt er noch früher an Ort und Stelle, als es durch die Post geschehen sein würde.« »Unvergleichlichster Mann!« rief Herr Elias mit vollem Sonnenschein im Blick. Traugott hatte sich von seiner Bestürzung erholt, er wollte schnell an den Tisch, um den Aviso zu schreiben, Herr Elias schob ihn aber weg, indem er mit recht hämischem Blicke zwischen den Zähnen murmelte: »Ist nicht vonnöten, mein Söhnlein!« – Während Herr Elias gar eifrig schrieb, näherte sich der ältere Herr dem jungen Traugott, der in stummer Beschämung dastand, und sprach: »Sie scheinen nicht an Ihrem Platze zu sein, lieber Herr! Einem wahren Kaufmann würde es nicht eingefallen sein, statt, wie es recht ist, zu avisieren, Figuren zu zeichnen.« – Traugott mußte das für einen nur zu gegründeten Vorwurf halten. Ganz betroffen erwiderte er: »Ach Gott, wieviel vortreffliche Avisos schrieb schon diese Hand, aber nur zuweilen kommen mir solche vertrackten Einfälle!« »Ei, mein Lieber«, fuhr der Fremde lächelnd fort, »das sollten nun eben keine vertrackten Einfälle sein. Ich glaube in der Tat, daß alle Ihre Avisos nicht so vortrefflich sind als diese mit fester Hand keck und sauber umrissenen Figuren. Es ist wahrhaftig ein eigener Genius darin.« Unter diesen Worten hatte der Fremde den in Figuren übergegangenen Avisobrief dem Traugott aus der Hand genommen, sorgsam zusammengefaltet und eingesteckt. Da stand es ganz fest in Traugotts Seele, daß er etwas viel Herrlicheres gemacht habe als einen Avisobrief, ein fremder Geist funkelte in ihm auf, und als Herr Elias Roos, der mit dem Schreiben fertig geworden, noch bitterböse ihm zurief: »Um zehntausend Mark hätten mich Ihre Kinderstreiche bringen können«, da erwiderte er lauter und bestimmter als jemals: »Gebärden sich Ew. Edlen nur nicht so absonderlich, sonst schreib' ich Ihnen in meinem ganzen Leben keinen Avisobrief mehr, und wir sind geschiedene Leute!« – Herr Elias schob mit beiden Händen die Perücke zurecht und stammelte mit starrem Blick: »Liebenswürdiger Associé, holder Sohn! was sind das für stolze Redensarten?« Der alte Herr trat abermals ins Mittel, wenige Worte waren hinlänglich, den vollen Frieden herzustellen, und so schritten sie zum Mittagsmahl in das Haus des Herrn Elias, der die Fremden geladen hatte. Jungfer Christina empfing die Gäste in sorgsam geschniegelten und gebügelten Feierkleidern und schwenkte bald mit geschickter Hand den überschweren silbernen Suppenlöffel. – Wohl könnte ich dir, günstiger Leser! die fünf Personen, während sie bei Tische sitzen, bildlich vor Augen bringen, ich werde aber nur zu flüchtigen Umrissen gelangen, und zwar viel schlechteren, als wie sie Traugott in dem ominösen Avisobriefe recht verwegen hinkritzelte, denn bald ist das Mahl geendet, und die wundersame Geschichte des wackern Traugott, die ich für dich, günstiger Leser! aufzuschreiben unternommen, reißt mich fort mit unwiderstehlicher Gewalt! – Daß Herr Elias Roos eine runde Perücke trägt, weißt du, günstiger Leser! schon aus Obigem, und ich darf auch gar nichts mehr hinzusetzen, denn nach dem, was er gesprochen, siehst du jetzt schon den kleinen, rundlichen Mann in seinem leberfarbenen Rocke, Weste und Hosen mit goldbesponnenen Knöpfen, recht vor Augen. Von dem Traugott habe ich sehr viel zu sagen, weil es eben seine Geschichte ist, die ich erzähle, er also wirklich darin vorkommt. Ist es aber nun gewiß, daß Gesinnung, Tun und Treiben, aus dem Innern heraustretend, so die äußere Gestalt modeln und formen, daß daraus die wunderbare nicht zu erklärende, nur zu fühlende Harmonie des Ganzen entsteht, die wir Charakter nennen, so wird dir, günstiger Leser! aus meinen Worten Traugotts Gestalt von selbst recht lebendig hervorgehen. Ist dies nicht der Fall, so taugt all mein Geschwätz gar nichts, und du kannst meine Erzählung nur geradezu für nicht gelesen achten. Die beiden fremden Herren sind Onkel und Neffe, ehedem Handel, jetzt Geschäfte treibend mit erworbenem Gelde, und Herrn Elias Roos' Freunde, d.h. mit ihm in starkem Geldverkehr. Sie wohnen in Königsberg, tragen sich ganz englisch, führen einen Mahagoni-Stiefelknecht aus London mit sich, haben viel Kunstsinn und sind überhaupt feine, ganz gebildete Leute. Der Onkel besitzt ein Kunstkabinett und sammelt Zeichnungen (videatur der geraubte Avisobrief). Eigentlich war es mir hauptsächlich nur darum zu tun, dir, günstiger Leser, die Christina recht lebhaft darzustellen, denn ihr flüchtiges Bild wird, wie ich merke, bald verschwinden, und so ist es gut, daß ich gleich einige Züge zu Buch bringe. Mag sie dann entfliehen! Denke dir, lieber Leser! ein mittelgroßes, wohlgenährtes Frauenzimmer von etwa zwei- bis dreiundzwanzig Jahren, mit rundem Gesicht, kurzer, ein wenig aufgestülpter Nase, freundlichen, lichtblauen Augen, aus denen es recht hübsch jedermann anlächelt: Nun heirate ich bald! – Sie hat eine blendend weiße Haut, die Haare sind geradezu nicht zu rötlich – recht küssige Lippen – einen zwar etwas weiten Mund, den sie noch dazu seltsam verzieht, aber zwei Reihen Perlenzähne werden dann sichtbar. Sollten etwa aus des Nachbars brennendem Hause die Flammen in ihr Zimmer schlagen, so wird sie nur noch geschwinde den Kanarienvogel füttern und die neue Wäsche verschließen, dann aber ganz gewiß in das Kontor eilen und dem Herrn Elias Roos zu erkennen geben, daß nunmehro auch sein Haus brenne. Niemals ist ihr eine Mandeltorte mißraten, und die Butter-Sauce verdickt sich jedesmal gehörig, weil sie niemals links, sondern immer rechts im Kreise mit dem Löffel rührt! – Da Herr Elias Roos schon den letzten Römer alten Franz eingeschenkt, bemerke ich nur noch in der Eile, daß Christinchen den Traugott deshalb ungemein lieb hat, weil er sie heiratet, denn was sollte sie wohl in aller Welt anfangen, wenn sie niemals Frau würde! – Nach der Mahlzeit schlug Herr Elias Roos den Freunden einen Spaziergang auf den Wällen vor. Wie gern wäre Traugott, in dessen Innerm sich noch nie so viel Verwunderliches geregt hatte als eben heute, der Gesellschaft entschlüpft, es ging aber nicht; denn wie er eben zur Tür hinauswollte, ohne einmal seiner Braut die Hand geküßt zu haben, erwischte ihn Herr Elias beim Rockschoß, rufend: »Werter Schwiegersohn, holder Associé, Sie wollen uns doch nicht verlassen?«, und so mußte er wohl bleiben. – Jener Professor physices meinte: Der Weltgeist habe als ein wackrer Experimentalist irgendwo eine tüchtige Elektrisiermaschine gebaut und von ihr aus liefen gar geheimnisvolle Drähte durchs Leben, die umschlichen und umgingen wir nun bestmöglichst, aber in irgendeinem Moment müßten wir darauf treten, und Blitz und Schlag führen durch unser Inneres, indem sich nun plötzlich alles anders gestalte. Auf den Draht war wohl Traugott getreten in dem Moment, als er bewußtlos die zeichnete, welche lebendig hinter ihm standen, denn mit Blitzes Gewalt hatte ihn die seltsame Erscheinung der Fremden durchzuckt und es war ihm, als wisse er nun alles deutlich, was sonst nur Ahnung und Traum gewesen. Die Schüchternheit, die sonst seine Zunge band, sobald das Gespräch sich auf Dinge wandte, die wie ein heiliges Geheimnis tief in seiner Brust verborgen lagen, war verschwunden, und so kam es, daß, als der Onkel die wunderlichen, halb gemalten, halb geschnitzten Bilder im Artushof als geschmacklos angriff und vorzüglich die kleinen Soldatengemälde als abenteuerlich verwarf, er dreist behauptete: Wie es wohl sein könnte, daß das alles sich mit den Regeln des Geschmacks nicht zusammenreime, indessen sei es ihm selbst, wie wohl schon mehreren ergangen: Eine wunderbare fantastische Welt habe sich ihm in dem Artushof erschlossen, und einzelne Figuren hätten ihn sogar mit lebensvollen Blicken, ja wie mit deutlichen Worten daran gemahnt, daß er auch ein mächtiger Meister sein und schaffen und bilden könne wie der, aus dessen geheimnisvoller Werkstatt sie hervorgegangen. – Herr Elias sah in der Tat dümmer aus wie gewöhnlich, als der Jüngling solche hohe Worte sprach, aber der Onkel sagte mit recht hämischer Miene: »Ich behaupte es noch einmal, daß ich nicht begriffe, wie Sie Kaufmann sein wollen und sich nicht lieber der Kunst ganz zugewandt haben.« – Dem Traugott war der Mann höchst zuwider, und er schloß sich deshalb bei dem Spaziergange an den Neffen, der recht freundlich und zutraulich tat. »O Gott«, sprach dieser, »wie beneide ich Sie um Ihr schönes, herrliches Talent! Ach, könnte ich so wie Sie zeichnen. – An Genie fehlt es mir gar nicht, ich habe schon recht hübsch Augen und Nasen und Ohren, ja sogar drei bis vier ganze Köpfe gezeichnet, aber lieber Gott, die Geschäfte! die Geschäfte!« »Ich dächte«, sprach Traugott, »sobald man wahres Genie, wahre Neigung zur Kunst verspüre, solle man kein anderes Geschäft kennen.« »Sie meinen, Künstler werden«, entgegnete der Neffe. »Ei, wie mögen Sie das sagen! Sehen Sie, mein Wertester, über diese Dinge habe ich denn wohl mehr nachgedacht als vielleicht mancher, ja, selbst ein so entschiedener Verehrer der Kunst, bin ich tiefer in das eigentliche Wesen der Sache eingedrungen, als ich es nur zu sagen vermag, daher sind mir nur Andeutungen möglich.« Der Neffe sah bei diesen Worten so gelehrt und tiefsinnig aus, daß Traugott ordentlich einige Ehrfurcht für ihn empfand. »Sie werden mir recht geben«, fuhr der Neffe fort, nachdem er eine Prise genommen und zweimal geniest hatte, »Sie werden mir recht geben, daß die Kunst Blumen in unser Leben flicht – Erheiterung, Erholung vom ernsten Geschäft, das ist der schöne Zweck alles Strebens in der Kunst, der desto vollkommener erreicht wird, je vortrefflicher sich die Produktionen gestalten. Im Leben selbst ist dieser Zweck deutlich ausgesprochen, denn nur der, der nach jener Ansicht die Kunst übt, genießt die Behaglichkeit, die den immer und ewig flieht, welcher der wahren Natur der Sache entgegen, die Kunst als Hauptsache, als höchste Lebenstendenz betrachtet. Deshalb, mein Lieber! nehmen Sie sich das ja nicht zu Herzen, was mein Onkel vorbrachte, um Sie von dem ernsten Geschäft des Lebens abzuleiten in ein Tun und Treiben, das ohne Stütze nur wie ein unbehülflich Kind hin und her wankt.« Hier hielt der Neffe inne, als erwarte er Traugotts Antwort; der wußte aber gar nicht, was er sagen sollte. Alles, was der Neffe gesprochen, kam ihm unbeschreiblich albern vor. Er begnügte sich zu fragen: »Was nennen Sie denn nun aber eigentlich ernstes Geschäft des Lebens?« Der Neffe sah ihn etwas betroffen an. »Nun, mein Gott«, fuhr er endlich heraus, »Sie werden mir doch zugeben, daß man im Leben leben muß, wozu es der bedrängte Künstler von Profession beinahe niemals bringt.« Er schwatzte nun mit zierlichen Wörtern und gedrechselten Redensarten ins Gelag hinein. Es kam ungefähr darauf hinaus, daß er im Leben leben nichts anderes nannte, als keine Schulden, sondern viel Geld haben, gut Essen und Trinken, eine schöne Frau und auch wohl artige Kinder, die nie einen Talgfleck ins Sonntagsröckchen bringen, besitzen usw.

Dem Traugott schnürte das die Brust zu, und er war froh, als der verständige Neffe von ihm abließ und er sich allein auf seinem Zimmer befand. »Was führe ich doch«, sprach er zu sich selbst, »für ein erbärmlich schlechtes Leben! – An dem schönen Morgen in der herrlichen goldnen Frühlingszeit, wenn selbst durch die finstern Straßen in der Stadt der laue West zieht und in seinem dumpfen Murmeln und Rauschen von all den Wundern zu erzählen scheint, die draußen in Wald und Flur erblühen, da schleiche ich träge und unmutig in Herrn Elias Roos' räuchrichtes Kontor. Da sitzen bleiche Gesichter vor großen unförmlichen Pulten, und nur das Geräusch des Blätterns in den großen Büchern, das Klappern des gezählten Geldes, einzelne unverständliche Laute unterbrechen die düstre Stille, in die alles arbeitend versunken. – Und was für Arbeit? – Wozu alles Sinnen, alles Schreiben? – Damit sich nur die Goldstücke im Kasten mehren, damit nur des Faffners unheilbringender Hort immer mehr funkle und gleiße! – Wie mag doch solch ein Künstler und Bildner fröhlich hinausziehn und hoch emporgerichteten Hauptes all die erquicklichen Frühlingsstrahlen einatmen, die die innere Welt voll herrlicher Bilder entzünden, so daß sie aufgeht im regen lustigen Leben. Aus den dunkeln Büschen treten dann wunderbare Gestalten hervor, die sein Geist geschaffen und die sein eigen bleiben, denn in ihm wohnt der geheimnisvolle Zauber des Lichts, der Farbe, der Form, und so vermag er, was sein inneres Auge geschaut, festzubannen, indem er es sinnlich darstellt. – Was hält mich ab, mich loszureißen von der verhaßten Lebensweise? – Der alte wunderliche Mann hat es mir bestätigt, daß ich zum Künstler berufen bin, aber noch mehr der schöne holde Jüngling. Ungeachtet der nichts sprach, war es mir ja doch, als sage sein Blick mir das deutlich, was so lange sich nur als leise Ahnung in mir regte und das, niedergedrückt von tausend Zweifeln, nicht emporzustreben vermochte. Kann ich denn nicht, statt meines unseligen Treibens, ein tüchtiger Maler werden?« – Traugott holte alles hervor, was er jemals gezeichnet, und durchschaute es mit prüfenden Blicken. Manches kam ihm heute ganz anders vor als sonst, und zwar besser. Vorzüglich fiel ihm aber aus den kindischen Versuchen seiner früheren Knabenzeit ein Blatt in die Hände, auf dem in freilich verzerrten, jedoch sehr kenntlichen Umrissen, jener alte Bürgermeister mit dem schönen Pagen abgebildet war, und er erinnerte sich recht gut, daß schon damals jene Figuren seltsam auf ihn wirkten und er einst in der Abenddämmerung wie von einer unwiderstehlichen Gewalt vom Knabenspiele fort in den Artushof gelockt wurde, wo er emsig sich bemühte, das Bild abzuzeichnen. – Traugott wurde, diese Zeichnung anschauend, von der tiefsten wehmütigsten Sehnsucht befangen! – Er sollte, nach gewöhnlicher Weise, noch ein paar Stunden in dem Kontor arbeiten, das war ihm unmöglich, statt dessen lief er heraus auf den Karlsberg. Da schaute er hinaus ins wogende Meer; in den Wellen, in dem grauen Nebelge-

wölk, das wunderbar gestaltet sich über Hela gelegt hatte, trachtete er wie in einem Zauberspiegel das Schicksal seiner künftigen Tage zu erspähen. –
Glaubst du nicht, lieber Leser! daß das, was aus dem höhern Reich der Liebe in unsre Brust hinabgekommen, sich uns zuerst offenbaren müsse im hoffnungslosen Schmerz? – Das sind die Zweifel, die in des Künstlers Gemüt stürmen. – Er schaut das Ideal und fühlt die Ohnmacht, es zu erfassen, es entflieht, meint er, unwiederbringlich. – Aber dann kommt ihm wieder ein göttlicher Mut, er kämpft und ringt, und die Verzweiflung löst sich auf in süßes Sehnen, das ihn stärkt und antreibt, immer nachzustreben der Geliebten, die er immer näher und näher erblickt, ohne sie jemals zu erreichen.
Traugott wurde nun eben von jenem hoffnungslosen Schmerz recht gewaltig ergriffen! Als er am frühen Morgen seine Zeichnungen, die noch auf dem Tische lagen, wieder ansah, kam ihm alles unbedeutend und läppisch vor, und er erinnerte sich jetzt der Worte eines kunstreichen Freundes, der oft sagte: Großer Unfug mit mittelmäßigem Treiben der Kunst entstehe daher, daß viele eine lebhafte äußere Anregung für innern wahren Beruf zur Kunst hielten. Traugott war nicht wenig geneigt, den Artushof mit den beiden wunderbaren Figuren des Alten und des Jünglings eben für eine solche äußere Anregung zu halten, verdammte sich selbst zur Rückkehr ins Kontor, und arbeitete bei dem Herrn Elias Roos, ohne des Ekels zu achten, der

ihn oft so übernahm, daß er schnell abbrechen und hinauslaufen mußte ins Freie. Herr Elias Roos schrieb dies mit sorglicher Teilnahme der Kränklichkeit zu, die nach seiner Meinung den todbleichen Jüngling ergriffen haben mußte. – Mehrere Zeit war vergangen, der Dominiks-Markt kam heran, nach dessen Ende Traugott die Christina heiraten und sich als Associé des Herrn Elias Roos der Kaufmannswelt ankündigen sollte. Dieser Zeitpunkt war ihm der traurige Abschied von allen schönen Hoffnungen und Träumen, und schwer fiel es ihm aufs Herz, wenn er Christinchen in voller Tätigkeit erblickte, wie sie in dem mittleren Stock alles scheuern und bohnern ließ, Gardinen eigenhändig fältelte, dem messingenen Geschirr den letzten Glanz gab usw. Im dicksten Gewühl der Fremden im Artushof hörte Traugott einmal eine Stimme hinter sich, deren bekannter Ton ihm durchs Herz drang. »Sollten diese Papiere wirklich so schlecht stehen?« Traugott drehte sich rasch um und erblickte, wie er es vermutet, den wunderlichen Alten, welcher sich an einen Makler gewandt hatte, um ein Papier zu verkaufen, dessen Kurs in dem Augenblick sehr gesunken war. Der schöne Jüngling stand hinter dem Alten und warf einen wehmütig-freundlichen Blick auf Traugott. Dieser trat rasch zu dem Alten hin und sprach: »Erlauben Sie, mein Herr, das Papier, welches Sie verkaufen wollen, steht in der Tat nur so hoch, wie Ihnen gesagt worden; der Kurs bessert sich indessen, wie es mit Bestimmtheit vorauszusehen ist, in wenigen Tagen sehr bedeutend. Wollen Sie daher meinen Rat annehmen, so verschieben Sie den Umsatz des Papiers noch einige Zeit.« – »Ei, mein Herr!« erwiderte der Alte ziemlich trocken und rauh, »was gehen Sie meine Geschäfte an? Wissen Sie denn, ob mir in diesem Augenblick solch ein einfältig Papier nicht ganz unnütz, bares Geld aber höchst nötig ist?« Traugott, der nicht wenig betreten darüber war, daß der Alte seine gute Absicht so übel aufnahm, wollte sich schon entfernen, als der Jüngling ihn wie bittend, mit Tränen im Auge anblickte. »Ich habe es gut gemeint, mein Herr«, erwiderte er schnell dem Alten, »und kann es durchaus noch nicht zugeben, daß Sie bedeutenden Schaden leiden sollen. Verkaufen Sie mir das Papier unter der Bedingung, daß ich Ihnen den höheren Kurs, den es in einigen Tagen haben wird, nachzahle.« – »Sie sind ein wunderlicher Mann«, sagte der Alte. »Mag es darum sein, wiewohl ich nicht begreife, was Sie dazu treibt, mich bereichern zu wollen.« – Er warf bei diesen Worten einen funkelnden Blick auf den Jüngling, der die schönen blauen Augen beschämt niederschlug. Beide folgten dem Traugott in das Kontor, wo dem Alten das Geld ausgezahlt wurde, der es mit finstrer Miene einsackte. Währenddessen sagte der Jüngling leise zu Traugott: »Sind Sie nicht derselbe, der vor mehreren Wochen auf dem Artushof solch hübsche Figuren gezeichnet hatte?« – »Allerdings«, erwiderte Traugott, indem er fühlte, wie ihm die Erinnerung an den lächerlichen Auftritt mit dem Avisobrief das Blut ins Gesicht trieb.

»O dann«, fuhr der Jüngling fort, »nimmt es mich nicht wunder –« Der Alte blickte den Jüngling zornig an, der sogleich schwieg. – Traugott konnte eine gewisse Beklommenheit in Gegenwart der Fremden nicht überwinden, und so gingen sie fort, ohne daß er den Mut gehabt hatte, sich nach ihren näheren Lebensverhältnissen zu erkundigen. Die Erscheinung dieser beiden Gestalten hatte auch in der Tat so etwas Verwunderliches, daß selbst das Personal im Kontor davon ergriffen wurde. Der grämliche Buchhalter hatte die Feder hinters Ohr gesteckt, und mit beiden Armen über das Haupt gelehnt, starrte er mit grellen Augen den Alten an. »Gott bewahre mich«, sprach er, als die Fremden fort waren, »der sah ja aus mit seinem krausen Barte und dem schwarzen Mantel wie ein altes Bild de Anno 1400 in der Pfarrkirche zu St. Johannis!« – Herr Elias hielt ihn aber, seines edlen Anstandes, seines tief ernsten altdeutschen Gesichts ungeachtet, schlechtweg für einen polnischen Juden und rief schmunzelnd: »Dumme Bestie, verkauft jetzt das Papier und bekommt in acht Tagen wenigstens zehn Prozent mehr.« Freilich wußte er nichts von dem verabredeten Zuschusse, den Traugott aus seiner Tasche zu berichtigen gemeint war, welches er auch einige Tage später, als er den Alten mit dem Jünglinge wieder auf dem Artushofe traf, wirklich tat. »Mein Sohn«, sagte der Alte, »hat mich daran erinnert, daß Sie auch Künstler sind, und so nehme ich das an, was ich sonst verweigert haben würde.« – Sie standen gerade an einer der vier Granitsäulen, die des Saales Wölbung tragen, dicht vor den beiden gemalten Figuren, die Traugott damals in den Avisobrief hineinzeichnete. Ohne Rückhalt sprach er von der großen Ähnlichkeit jener Figuren mit dem Alten und dem Jünglinge. Der Alte lächelte ganz seltsam, legte die Hand auf Traugotts Schulter und sprach leise und bedächtig: »Ihr wißt also nicht, daß ich der deutsche Maler Godofredus Berklinger bin und die Figuren, welche Euch zu gefallen scheinen, vor sehr langer Zeit, als ich noch ein Schüler der Kunst war, selbst malte? In jenem Bürgermeister habe ich mich selbst Andenkens halber abkonterfeit, und daß der das Pferd führende Page mein Sohn ist, erkennt Ihr wohl sehr leicht, wenn Ihr beider Gesichter und Wuchs anschaut!« – Traugott verstummte vor Erstaunen; er merkte aber wohl bald, daß der Alte, der sich für den Meister der mehr als zweihundert Jahre alten Gemälde hielt, von einem besondern Wahnwitze befangen sein müsse. »Überhaupt war es doch«, fuhr der Alte fort, indem er den Kopf in die Höhe warf und stolz umherblickte, »eine herrliche, grünende, blühende Künstlerzeit, wie ich diesen Saal dem weisen Könige Artus und seiner Reichstafel zu Ehren mit all den bunten Bildern schmückte. Ich glaube wohl, daß es der König Artus selbst war, der in gar edler hoher Gestalt einmal, als ich hier arbeitete, zu mir trat und mich zur Meisterschaft ermahnte, die mir damals noch nicht worden!« – »Mein Vater«, fiel der Jüngling ein, »ist ein Künstler, wie es wenige gibt, mein Herr! und es würde Sie nicht gereuen, wenn er es Ihnen vergönnte, seine Werke zu sehen.« Der Alte hatte unterdessen einen Gang durch den schon öde gewordenen Saal gemacht, er forderte jetzt den Jüngling zum Fortgehen auf, da bat Traugott, ihm doch seine Gemälde zu zeigen. Der Alte sah ihn lange mit scharfem, durchbohrendem Blicke an und sprach endlich sehr ernst: »Ihr seid in der Tat etwas verwegen, daß Ihr schon jetzt darnach trachtet, in das innerste Heiligtum einzutreten, ehe noch Eure Lehrjahre begonnen. Doch! – mag es sein! – Ist Euer Blick noch zu blöde zum Schauen, so werdet Ihr wenigstens ahnen! Kommt morgen in der Frühe zu mir.« – Er bezeichnete seine Wohnung, und Traugott unterließ nicht, den andern Morgen sich schnell vom Geschäfte loszumachen und nach der entlegenen Straße zu dem wunderlichen Alten hinzueilen. Der Jüngling, ganz altdeutsch gekleidet, öffnete ihm die Tür und führte ihn in ein geräumiges Gemach, wo er den Alten in der Mitte auf einem kleinen Schemel vor einer großen aufgespannten grau grundierten Leinwand sitzend antraf. »Zur glücklichen Stunde«, rief der Alte ihm entgegen, »sind Sie, mein Herr, gekommen, denn soeben habe ich die letzte Hand an das große Bild dort gelegt, welches mich schon über ein Jahr beschäftigt und mir nicht geringe Mühe gekostet hat. Es ist das Gegenstück zu dem gleich großen Gemälde, das verlorene Paradies darstellend, welches ich voriges Jahr vollendete und das Sie auch bei mir anschauen können. Dies ist nun, wie

Sie sehen, das wiedergewonnene Paradies, und es sollte mir um Sie leid sein, wenn Sie irgendeine Allegorie herausklügeln wollten. Allegorische Gemälde machen nur Schwächlinge und Stümper; mein Bild soll nicht *bedeuten*, sondern *sein*. Sie finden, daß alle diese reichen Gruppen von Menschen, Tieren, Früchten, Blumen, Steinen sich zum harmonischen Ganzen verbinden, dessen laut und herrlich tönende Musik der himmlisch reine Akkord ewiger Verklärung ist.« – Nun fing der Alte an, einzelne Gruppen herauszuheben, er machte Traugott auf die geheimnisvolle Verteilung des Lichts und des Schattens aufmerksam, auf das Funkeln der Blumen und Metalle, auf die wunderbaren Gestalten, die aus Lilienkelchen steigend, sich in die klingenden Reigen himmlisch schöner Jünglinge und Mädchen verschlangen, auf die bärtigen Männer, die, kräftige Jugendfülle in Blick und Bewegung, mit allerlei seltsamen Tieren zu sprechen schienen. – Immer stärker, aber immer unverständlicher und verworrener wurde des Alten Ausdruck. »Laß immer deine Diamantkrone funkeln, du hoher Greis!« rief er endlich, den glühenden Blick starr auf die Leinwand geheftet, »wirf ab den Isisschleier, den du über dein Haupt warfst, als Unheilige dir nahe traten! – Was schlägst du sorglich dein finsteres Gewand über die Brust zusammen? – Ich will dein Herz schauen – das ist der Stein der Weisen, vor dem sich das Geheimnis offenbart! – Bist du denn nicht ich? – Was trittst du so keck, so gewaltig vor mir auf! – Willst du kämpfen mit deinem Meister? Glaubst du, daß der Rubin, der, dein Herz, herausfunkelt, meine Brust zermalmen könne? – Auf denn! – tritt heraus! – tritt her! – ich habe dich erschaffen –, denn ich bin . . .« – Hier sank der Alte plötzlich, wie vom Blitze getroffen, zusammen. Traugott fing ihn auf, der Jüngling rückte schnell einen kleinen Lehnsessel herbei, sie setzten den Alten hinein, der in einen sanften Schlaf versunken schien.

»Sie wissen nun, lieber Herr!« sprach der Jüngling sanft und leise, »wie es mit meinem guten alten Vater beschaffen ist. Ein rauhes Schicksal hat alle seine Lebensblüten abgestreift, und schon seit mehreren Jahren ist er der Kunst abgestorben, für die er sonst lebte. Er sitzt ganze Tage hindurch vor der aufgespannten grundierten Leinwand, den starren Blick darauf geheftet – das nennt er malen; und in welchen exaltierten Zustand ihn dann die Beschreibung eines solchen Gemäldes versetzt, das haben Sie eben erfahren. Nächstdem verfolgt ihn noch ein unglücklicher Gedanke, der mir ein trübes, zerrissenes Leben bereitet, ich trage das aber als ein Verhängnis, welches in dem Schwunge, in dem es ihn ergriffen, auch mich fortreißt. Wollen Sie sich von diesem seltsamen Auftritt erholen, so folgen Sie mir in das Nebenzimmer, wo Sie mehrere Gemälde aus meines Vaters früherer fruchtbarer Zeit finden.« – Wie erstaunte Traugott, als er eine Reihe Bilder fand, die von den berühmtesten niederländischen Meistern gemalt zu sein schienen. Mehrenteils Szenen aus dem Leben, z.B. eine Gesellschaft, die von der Jagd zurückkehrt, die sich mit Gesang und Spiel ergötzt, u. a. dergl. darstellend, atmeten sie doch einen tiefen Sinn, und vorzüglich war der Ausdruck der Köpfe von ganz besonderer ergreifender Lebenskraft. Schon wollte Traugott ins Vorzimmer zurückkehren, als er dicht an der Tür ein Bild wahrnahm, vor dem er wie festgezaubert stehenblieb. Es war eine wunderliebliche Jungfrau in altdeutscher Tracht, aber ganz das Gesicht des Jünglings, nur voller und höher gefärbt, auch schien die Gestalt größer. Die Schauer namenlosen Entzükkens durchbebten Traugott bei dem Anblick des herrlichen Weibes. An Kraft und Lebensfülle war das Bild den van Dykschen völlig gleich. Die dunklen Augen blickten voll Sehnsucht auf Traugott herab, die süßen Lippen schienen halb geöffnet liebliche Worte zu flüstern! – »Mein Gott! – mein Gott!« seufzte Traugott aus tiefster Brust, »wo – wo ist sie zu finden?« – »Gehen wir«, sprach der Jüngling. Da rief Traugott wie von wahnsinniger Lust ergriffen: »Ach, sie ist es ja, die Geliebte meiner Seele, die ich so lange im Herzen trug, die ich nur in Ahnungen erkannte! – wo – wo ist sie!« – Dem jungen Berklinger stürzten die Tränen aus den Augen, er schien wie von jähem Schmerz krampfhaft durchzuckt, sich mit Mühe zusammenzuraffen. »Kommen Sie«, sagte er endlich mit festem Ton, »das Porträt stellt meine unglückliche Schwester Felizitas vor. Sie ist hin auf immer! – Sie werden sie niemals schauen!« – Beinahe bewußtlos ließ sich Traugott in das andere Zimmer zurückführen. Der Alte lag noch im Schlaf, aber plötzlich fuhr er auf, blickte Traugott mit zornfunkelnden Augen an und rief: »Was wollen Sie? – Was wollen Sie, mein Herr?« – Da trat der Jüngling vor und erinnerte ihn daran, daß er soeben dem Traugott ja sein neues Bild gezeigt habe. Berklinger schien sich nun auf alles zu besinnen, er wurde sichtlich weich und sprach mit gedämpfter Stimme: »Verzeihen Sie, lieber Herr! einem alten Mann solche Vergeßlichkeit.« – »Euer neues Bild, Meister Berklinger«, nahm Traugott nun das Wort, »ist ganz wunderherrlich, und ich habe dergleichen noch niemals geschaut, indessen braucht es wohl vieles Studierens und vieler Arbeit, ehe man dahin gelangt, so zu malen. Ich spüre großen unwiderstehlichen Trieb zur Kunst in mir und bitte Euch gar dringend, mein lieber alter Meister! mich zu Eurem fleißigen Schüler anzunehmen.« Der Alte wurde ganz freundlich und heiter, er umarmte Traugott und versprach sein treuer Lehrer zu sein. So geschah es denn, daß Traugott tagtäglich zu dem alten Maler ging und in der Kunst gar große Fortschritte machte. Sein Geschäft war ihm nun ganz zuwider, er wurde so nachlässig, daß Herr Elias Roos laut sich beklagte und am Ende es gern sah, daß Traugott unter dem Vorwande einer schleichenden Kränklichkeit sich von dem Kontor ganz losmachte, weshalb denn auch, zu nicht geringem Ärger Christinens, die Hochzeit auf unbestimmte Zeit ausgesetzt wurde. »Ihr Herr Traugott«, sprach ein Handelsfreund zu Herrn Elias Roos, »scheint an einem innern Verdruß zu laborieren, viel-

leicht ein alter Herzenssaldo, den er gern löschen möchte vor neuer Heirat. Er sieht ganz blaß und verwirrt aus.« – »Ach, warum nicht gar«, erwiderte Herr Elias. »Sollte ihm«, fuhr er nach einer Weile fort, »die schelmische Christina einen Spuk gemacht haben? Der Buchhalter, das ist ein verliebter Esel, der küßt und drückt ihr immer die Hände. Traugott ist ganz des Teufels verliebt in mein Mägdlein, das weiß ich. – Sollte vielleicht einige Eifersucht? – Nun, ich will ihm auf den Zahn fühlen, dem jungen Herrn!« –
So sorglich er aber auch fühlte, konnte er aber doch nichts erfühlen und sprach zum Handelsfreunde: »Das ist ein absonderlicher HOMO, der Traugott, aber man muß ihn gehen lassen nach seiner Weise. Hätte er nicht fünfzigtausend Taler in meiner Handlung, ich wüßte, was ich täte, da er gar nichts mehr tut.« –

Traugott hätte nun in der Kunst ein wahres helles Sonnenleben geführt, wenn die glühende Liebe zur schönen Felizitas, die er oft in wunderbaren Träumen sah, ihm nicht die Brust zerrissen hätte. Das Bild war verschwunden. Der Alte hatte es fortgebracht, und Traugott durfte, ohne ihn schwer zu erzürnen, nicht danach fragen. Übrigens war der alte Berklinger immer zutraulicher geworden und litt es, daß Traugott, statt des Honorars für den Unterricht, seinen ärmlichen Haushalt auf mannigfache Weise verbesserte. Durch den jungen Berklinger erfuhr Traugott, daß der Alte bei dem Verkauf eines kleinen Kabinetts merklich hintergangen worden und daß jenes Papier, welches Traugott auswechselte, der Rest der erhaltenen Kaufsumme und ihres baren Vermögens gewesen sei. Nur selten durfte übrigens Traugott mit dem Jünglinge vertraut sprechen, der Alte hütete ihn auf ganz besondere Weise und verwies es ihm gleich recht hart, wenn er frei und heiter sich mit dem Freunde unterhalten wollte. Traugott empfand dies um so schmerzlicher, als er den Jüngling seiner auffallenden Ähnlichkeit mit Felizitas halber aus voller Seele liebte. Ja, oft war es ihm in der Nähe des Jünglings, als stehe lichthell das geliebte Bild neben ihm, als fühle er den süßen Liebeshauch, und er hätte dann den Jüngling, als sei er die geliebte Felizitas selbst, an sein glühendes Herz drücken mögen.

Der Winter war vergangen, der schöne Frühling glänzte und blühte schon in Wald und Flur. Herr Elias Roos riet dem Traugott eine Brunnen- oder Molkenkur an. Christinchen freute sich wiederum auf die Hochzeit, ungeachtet Traugott sich wenig blicken ließ und noch weniger an das Verhältnis mit ihr dachte.

Eine durchaus nötige Abrechnung hatte einmal den Traugott den ganzen Tag über im Kontor festgehalten, er mußte seine Malstunden versäumen, und erst in später Abenddämmerung schlich er nach Berklingers entlegener Wohnung. Im Vorzimmer fand er niemand, aus dem Nebengemach ertönten Lautenklänge. Nie hatte er hier noch das Instrument gehört. – Er horchte – wie leise Seufzer schlich ein abgebrochener

Gesang durch die Akkorde hin. Er drückte die Tür auf – Himmel! den Rücken ihm zugewendet, saß eine weibliche Gestalt, altdeutsch gekleidet mit hohem Spitzenkragen, ganz der auf dem Gemälde gleich! – Auf das Geräusch, das Traugott unwillkürlich beim Hereintreten gemacht, erhob sich die Gestalt, legte die Laute auf den Tisch und wandte sich um. Sie war es selbst, sie selbst! – »Felizitas!« schrie Traugott auf voll Entzücken, niederstürzen wollte er vor dem geliebten Himmelsbilde, da fühlte er sich von hinten gewaltig gepackt beim Kragen und mit Riesenkraft herausgeschleppt. »Verruchter! – Bösewicht ohnegleichen!« schrie der alte Berklinger, indem er ihn fortstieß, »das war deine Liebe zur Kunst? – Morden willst du mich!« Und damit riß er ihn zur Tür heraus. Ein Messer blitzte in seiner Hand; Traugott floh die Treppe herab; betäubt, ja halb wahnsinnig vor Lust und Schrecken lief Traugott in seine Wohnung zurück.

Schlaflos wälzte er sich auf seinem Lager. »Felizitas! – Felizitas!« rief er ein Mal übers andere von Schmerz und Liebesqual zerrissen. »Du bist da – du bist da, und ich soll dich nicht schauen, dich nicht in meine Arme schließen? – Du liebst mich, ach, ich weiß es ja! – In dem Schmerz, der so tötend meine Brust durchbohrt, fühle ich es, daß du mich liebst.« Hell schien die Frühlingssonne in Traugotts Zimmer, da raffte er sich auf und beschloß, es koste, was es wolle, das Geheimnis in Berklingers Wohnung zu erforschen. Schnell eilte er hin zum Alten, aber wie ward ihm, als er sah, daß alle

Fenster in Berklingers Wohnung geöffnet und die Mägde beschäftigt waren, die Zimmer zu reinigen. Ihm ahnte, was geschehen. Berklinger hatte noch am späten Abend mit seinem Sohn das Haus verlassen und war fortgezogen, niemand wußte wohin. Ein mit zwei Pferden bespannter Wagen hatte die Kiste mit Gemälden und die beiden kleinen Koffer, welche das ganze ärmliche Besitztum Berklingers in sich geschlossen, abgeholt. Er selbst war mit seinem Sohn eine halbe Stunde nachher fortgegangen. Alle Nachforschungen, wo sie geblieben, waren vergebens, kein Lohnkutscher hatte an Personen, wie Traugott sie beschrieb, Pferde und Wagen vermietet, selbst an den Toren konnte er nichts Bestimmtes erfahren; kurz, Berklinger war verschwunden, als sei er auf dem Mantel des Mephistopheles davongeflogen. Ganz in Verzweiflung rannte Traugott in sein Haus zurück. »Sie ist fort – sie ist fort, die Geliebte meiner Seele – alles, alles verloren!« So schrie er, bei Herrn Elias Roos, der sich gerade auf dem Hausflur befand, vorbei, nach seinem Zimmer stürzend. »Herr, Gott des Himmels und der Erden«, rief Herr Elias, indem er an seiner Perücke rückte und zupfte –, »Christina! – Christina!« – schrie er dann, daß es weit im Hause schallte. »Christina – abscheuliche Person, mißratene Tochter!« Die Kontordiener stürzten heraus mit erschrockenen Gesichtern, der Buchhalter fragte bestürzt: »Aber, Herr Roos!« Der schrie indessen immerfort: »Christina! – Christina!« Mamsell Christina trat zur Haustür hinein und fragte, nachdem sie ihren breiten Strohhut etwas gelüftet hatte, lächelnd, warum denn der Herr Vater so ungemein brülle? »Solches unnützes Weglaufen verbitte ich mir«, fuhr Herr Elias auf sie los: »der Schwiegersohn ist ein melancholischer Mensch und in der Eifersucht türkisch gesinnt. Man bleibe fein zu Hause, sonst geschieht noch ein Unglück. Da sitzt nun der Associé drinnen und heult und greint über die vagabondierende Braut.« Christina sah verwundert den Buchhalter an, der zeigte aber mit bedeutendem Blick ins Kontor hinein nach dem Glasschrank, wo Herr Roos das Zimtwasser aufzubewahren pflegte. »Man gehe hinein und tröste den Bräutigam«, sagte er davonschreitend. Christina begab sich auf ihr Zimmer, um sich nur ein wenig umzukleiden, die Wäsche herauszugeben, mit der Köchin das Nötige wegen des Sonntagbratens zu verabreden und sich nebenher einige Stadtneuigkeiten erzählen zu lassen, dann wollte sie gleich sehen, was dem Bräutigam denn eigentlich fehle.

Du weißt, lieber Leser! daß wir alle in Traugotts Lage unsere bestimmten Stadien durchmachen müssen, wir können nicht anders. – Auf die Verzweiflung folgt ein dumpfes betäubtes Hinbrüten, in dem die Krisis eintritt, und dann geht es über zu milderem Schmerz, in dem die Natur ihre Heilmittel wirkungsvoll anzubringen weiß. –

In diesem Stadium des wehmütigen, wohltuenden Schmerzes saß nun Traugott nach einigen Tagen auf dem Karlsberge und sah wieder in die Meereswellen in die grauen Nebelwolken, die über Hela lagen. Aber nicht wie damals wollte er seiner künftigen Tage Schicksal erspähen; verschwunden war alles, was er gehofft, was er geahnt. »Ach«, sprach er, »bittre, bittre Täuschung war mein Beruf zur Kunst; Felizitas war das Trugbild, das mich verlockte, zu glauben an dem, das nirgends lebte als in der wahnwitzigen Fantasie eines Fieberkranken. – Es ist aus! – ich gebe mich! – zurück in den Kerker! – es sei beschlossen!« – Traugott arbeitete wieder im Kontor, und der Hochzeitstag mit Christina wurde aufs neue angesetzt. Tags vorher stand Traugott im Artushof und schaute nicht ohne innere herzzerschneidende Wehmut die verhängnisvollen Gestalten des alten Bürgermeisters und seines Pagen an, als ihm der Mäkler, an den Berklinger damals das Papier verkaufen wollte, ins Auge fiel. Ohne sich zu besinnen, beinahe unwillkürlich, schritt er auf ihn zu, fragend: »Kannten Sie wohl den wunderlichen Alten mit schwarzem, krausen Bart, der vor einiger Zeit hier mit einem schönen Jüngling zu erscheinen pflegte?« – »Wie wollte ich nicht«, antwortete der Mäkler, »das war der alte verrückte Maler Gottfried Berklinger.« – »Wissen Sie denn nicht«, fragte Traugott weiter, »wo er geblieben ist, wo er sich jetzt aufhält?« – »Wie wollte ich nicht«, erwiderte der Mäkler; »der sitzt mit seiner Tochter schon seit geraumer Zeit ruhig in Sorrent.« – »Mit seiner Tochter Felizitas?« rief Traugott so heftig und laut, daß alle sich nach ihm umdrehten. »Nun ja«, fuhr der Mäkler ruhig fort, »das war ja eben der hübsche Jüngling, der dem Alten beständig folgte. Halb Danzig wußte, daß das ein Mädchen war, ungeachtet der alte verrückte Herr glaubte, kein Mensch würde das vermuten können. Es war ihm prophezeit worden, daß, sowie seine Tochter einen Liebesbund schlösse, er eines schmählichen Todes sterben müsse, darum wollte er, daß niemand etwas von ihr wissen solle, und brachte sie als Sohn in Kurs.« – Erstarrt blieb Traugott stehen, dann rannte er durch die Straßen – fort durch das Tor ins Freie, ins Gebüsch hinein, laut klagend: »Ich Unglückseliger! – Sie war es, sie war es selbst, neben ihr habe ich gesessen tausendmal – ihren Atem eingehaucht, ihre zarten Hände gedrückt – in ihr holdes Auge geschaut – ihre süßen Worte gehört! – und nun ist sie verloren! – Nein! – nicht verloren. Ihr nach in das Land der Kunst – ich erkenne den Wink des Schicksals! – Fort – fort nach Sorrent!« – Er lief zurück nach Hause. Herr Elias Roos kam ihm in den Wurf, den packte er und riß ihn fort ins Zimmer. »Ich werde Christinen nimmermehr heiraten«, schrie er, »sie sieht der VOLUPTAS ähnlich und der LUXURIES und hat Haare wie die IRA auf dem Bilde im Artushof. – O Felizitas, Felizitas! – holde Geliebte – wie streckst du so sehnend die Arme nach mir aus! – ich komme! – ich komme! – Und daß Sie es nur wissen, Elias«, fuhr er fort, indem er den bleichen Kaufherrn aufs neue packte, »niemals sehen Sie mich wieder in Ihrem verdammten Kontor. Was scheren mich Ihre vermaledeiten Hauptbücher und Strazzen, ich bin ein

Maler, und zwar ein tüchtiger, Berklinger ist mein Meister, mein Vater, mein Alles, und Sie sind nichts, gar nichts!« – Und damit schüttelte er den Elias; der schrie aber über alle Maßen: »Helft! helft! – herbei, ihr Leute – helft! der Schwiegersohn ist toll geworden – der Associé wütet – helft! helft!« – Alles aus dem Kontor lief herbei! Traugott hatte den Elias losgelassen und war erschöpft auf den Stuhl gesunken. Alle drängten sich um ihn her, als er aber plötzlich aufsprang und mit wildem Blicke rief: »Was wollt ihr?«, da fuhren sie in einer Reihe, Herrn Elias in der Mitte, zur Tür hinaus. Bald darauf raschelte es draußen wie von seidenen Gewändern, und eine Stimme fragte: »Sind Sie wirklich verrückt geworden, lieber Herr Traugott, oder spaßen Sie nur?« Es war Christina. »Keineswegs bin ich toll geworden, lieber Engel«, erwiderte Traugott, »aber ebensowenig spaße ich. Begeben Sie sich zur Ruhe, Teure, mit der morgenden Hochzeit ist es nichts, heiraten werde ich Sie nun und nimmermehr!« – »Es ist auch gar nicht vonnöten«, sagte Christina sehr ruhig, »Sie gefallen mir so nicht sonderlich seit einiger Zeit, und gewisse Leute werden es ganz anders zu schätzen wissen, wenn sie mich, die hübsche reiche Mamsell Christina Roos, heimführen können als Braut! – Adieu!« Damit rauschte sie fort. »Sie meint den Buchhalter«, dachte Traugott. Ruhiger geworden, begab er sich zu Herrn Elias und setzte es ihm bündig auseinander, daß mit ihm nun einmal weder als Schwiegersohn noch als Associé etwas anzufangen sei.

Herr Elias fügte sich in alles und versicherte, herzlich froh, im Kontor ein Mal übers andere, daß er Gott danke, den aberwitzigen Traugott los zu sein, als dieser schon weit – weit von Danzig entfernt war.
Das Leben ging dem Traugott auf in neuem herrlichen Glanze, als er sich endlich in dem ersehnten Lande befand. In Rom nahmen ihn die deutschen Künstler auf in den Kreis ihrer Studien, und so geschah es, daß er dort länger verweilte, als es die Sehnsucht, Felizitas wiederzufinden, von der er bis jetzt rastlos fortgetrieben wurde, zuzulassen schien. Aber milder war diese Sehnsucht geworden, sie gestaltete sich im Innern wie ein wonnevoller Traum, dessen duftiger Schimmer sein ganzes Leben umfloß, so daß er all sein Tun und Treiben, das Üben seiner Kunst dem höhern überirdischen Reiche seliger Ahnungen zugewandt glaubte. Jede weibliche Gestalt, die er mit wackrer Kunstfertigkeit zu schaffen wußte, hatte die Züge der holden Felizitas. Den jungen Malern fiel das wunderliebliche Gesicht, dessen Original sie vergebens in Rom suchten, nicht wenig auf, sie bestürmten Traugott mit tausend Fragen, wo er denn die Holde geschaut. Traugott trug indessen Scheu, seine seltsame Geschichte von Danzig zu erzählen, bis endlich einmal nach mehreren Monaten ein alter Freund aus Königsberg, namens Matuszewski, der in Rom sich auch der Malerei ganz ergeben hatte, freudig versicherte: Er habe das Mädchen, das Traugott in all seinen Bildern abkonterfeie in Rom erblickt. Man kann sich Traugotts Entzücken

denken; länger verhehlte er nicht, was ihn so mächtig zur Kunst, so unwiderstehlich nach Italien getrieben, und man fand Traugotts Abenteuer in Danzig so seltsam und anziehend, daß alle versprachen, eifrig der verlorenen Geliebten nachzuforschen. Matuszewskis Bemühungen waren die glücklichsten, er hatte bald des Mädchens Wohnung ausgeforscht und noch überdies erfahren, daß sie wirklich die Tochter eines alten armen Malers sei, der eben jetzt die Wände in der Kirche TRINITA DEL MONTE anstreiche. Das traf nun alles richtig zu. Traugott eilte sogleich mit Matuszewski nach jener Kirche und glaubte wirklich, in dem Maler, der auf einem sehr hohen Gerüste stand, den alten Berklinger zu erkennen. Von dort eilten die beiden Freunde, ohne von dem Alten bemerkt zu sein, nach seiner Wohnung. »Sie ist es«, rief Traugott, als er des Malers Tochter erblickte, die, mit weiblicher Arbeit beschäftigt, auf dem Balkon stand. »Felizitas! – meine Felizitas!«, so laut aufjauchzend stürzte Traugott ins Zimmer. Das Mädchen blickte ihn ganz erschrocken an. Sie hatte die Züge der Felizitas, sie war es aber nicht. Wie mit tausend Dolchen durchbohrte die bittere Täuschung des armen Traugotts wunde Brust. – Matuszewski erklärte in wenig Worten dem Mädchen alles. Sie war in holder Verschämtheit mit hochroten Wangen und niedergeschlagenen Augen gar wunderlieblich anzuschauen, und Traugott, der sich schnell erst wieder entfernen wollte, blieb, als er nur noch einen schmerzhaften Blick auf das anmutige Kind geworfen, wie von sanften Banden festgehalten, stehen. Der Freund wußte der hübschen Dorina allerlei Angenehmes zu sagen und so die Spannung zu mildern, in die der wunderliche Auftritt sie versetzt hatte. Dorina zog »ihrer Augen dunklen Franzenvorhang« auf und schaute die Fremden mit süßem Lächeln an, indem sie sprach: Der Vater werde bald von der Arbeit kommen und sich freuen, deutsche Künstler, die er sehr hoch achte, bei sich zu finden. Traugott mußte gestehen, daß außer Felizitas kein Mädchen so ihn im Innersten aufgeregt hatte als Dorina. Sie war in der Tat beinahe Felizitas selbst, nur schienen ihm die Züge stärker, bestimmter, sowie das Haar dunkler. Es war dasselbe Bild von Raffael und von Rubens gemalt. – Nicht lange dauerte es, so trat der Alte ein, und Traugott sah nun wohl, daß die Höhe des Gerüstes in der Kirche, auf dem der Alte stand, ihn sehr getäuscht hatte. Statt des kräftigen Berklinger war dieser alte Maler ein kleinlicher, magerer, furchtsamer, von Armut gedrückter Mann. Ein trügerischer Schlagschatten hatte in der Kirche seinem glatten Kinn Berklingers schwarzen krausen Bart gegeben. Im Kunstgespräche entwickelte der Alte gar tiefe praktische Kenntnisse, und Traugott beschloß, eine Bekanntschaft fortzusetzen, die, im ersten Moment so schmerzlich, nun immer wohltuender wurde. Dorina, die Anmut, die kindliche Unbefangenheit selbst, ließ deutlich ihre Neigung zu dem jungen deutschen Maler merken. Traugott erwiderte das herzlich. Er gewöhnte sich so an das holde fünfzehnjährige Mädchen, daß er bald ganze Tage bei der kleinen Familie zubrachte, seine Werkstätte in die geräumige Stube, die neben ihrer Wohnung leer stand, verlegte und endlich sich zu ihrem Hausgenossen machte. So verbesserte er auf zarte Weise ihre ärmliche Lage durch seinen Wohlstand, und der Alte konnte nicht anders denken, als Traugott werde Dorina heiraten, welches er ihm denn unverhohlen äußerte. Traugott erschrak nicht wenig, denn nun erst dachte er deutlich daran, was aus dem Zweck seiner Reise geworden. Felizitas stand ihm wieder lebhaft vor Augen, und doch war es ihm, als könne er Dorina nicht lassen. – Auf wunderbare Weise konnte er sich den Besitz der entschwundenen Geliebten als Frau nicht wohl denken. Felizitas stellte sich ihm dar als ein geistig Bild, das er nie verlieren, nie gewinnen könne. Ewiges geistiges Inwohnen des Geliebten – niemals physisches Haben und Besitzen. – Aber Dorina kam ihm oft in Gedanken als sein liebes Weib, süße Schauer durchbebten ihn, eine sanfte Glut durchströmte seine Adern und doch dünkte es ihm Verrat an seiner ersten Liebe, wenn er sich mit neuen unauflöslichen Banden fesseln ließe. – So kämpften in Traugotts Innerm die widersprechendsten Gefühle, er konnte sich nicht entscheiden, er wich dem Alten aus. Der glaubte aber, Traugott wolle ihn um sein liebes Kind betrügen. Dazu kam, daß er von Traugotts Heirat schon als von etwas Bestimmtem gesprochen und daß er nur in dieser Meinung das vertrauliche Verhältnis Dorinas mit Traugott, das sonst das Mädchen in üblen Ruf bringen mußte, geduldet hatte. Das Blut des Italieners wallte auf in ihm, und er erklärte dem Traugott eines Tages bestimmt, daß er entweder Dorina heiraten oder ihn verlassen müsse, da er auch nicht eine Stunde länger den vertraulichen Umgang dulden werde. Traugott wurde von dem schneidendsten Ärger und Verdruß ergriffen. Der Alte kam ihm vor wie ein gemeiner Kuppler, sein eignes Tun und Treiben schien ihm verächtlich, daß er jemals von Felizitas gelassen, sündhaft und abscheulich. – Der Abschied von Dorina zerriß ihm das Herz, aber er wand sich gewaltsam los aus den süßen Banden. Er eilte fort nach Neapel, nach Sorrent. –

Ein Jahr verging in den strengsten Nachforschungen nach Berklinger und Felizitas, aber alles blieb vergebens, niemand wußte etwas von ihnen. Eine leise Vermutung, die sich nur auf eine Sage gründete, daß ein alter deutscher Maler sich vor mehreren Jahren in Sorrent blicken lassen, war alles, was er erhaschen konnte. Wie auf einem wogenden Meer hin und her getrieben, blieb Traugott endlich in Neapel, und sowie er wieder die Kunst fleißiger trieb, ging auch die Sehnsucht nach Felizitas linder und milder in seiner Brust auf. Aber kein holdes Mädchen, war sie nur in Gestalt, Gang und Haltung Dorinen im mindesten ähnlich, sah er, ohne auf das schmerzlichste den Verlust des süßen lieben Kindes zu fühlen. Beim Malen dachte er niemals an Dorina, wohl aber an Felizitas, die blieb sein stetes

Ideal. – Endlich erhielt er Briefe aus der Vaterstadt. Herr Elias Roos hatte, wie der Geschäftsträger meldete, das Zeitliche gesegnet, und Traugotts Gegenwart war nötig, um sich mit dem Buchhalter, der Mamsell Christina geheiratet und die Handlung übernommen hatte, auseinanderzusetzen. Auf dem nächsten Wege eilte Traugott nach Danzig zurück. – Da stand er wieder im Artushof an der Granitsäule, dem Bürgermeister und Pagen gegenüber, er gedachte des wunderbaren Abenteuers, das so schmerzlich in sein Leben gegriffen, und von tiefer, hoffnungsloser Wehmut befangen, starrte er den Jüngling an, der ihn wie mit lebendigen Blicken zu begrüßen und mit holder, süßer Stimme zu lispeln schien: »So konntest du doch von mir nicht lassen!« –

»Seh' ich denn recht? Sind Ew. Edlen wirklich wieder da und frisch und gesund, gänzlich geheilt von der bösen Melancholie?« – So quäkte eine Stimme neben Traugott, es war der bekannte Mäkler. »Ich habe sie nicht gefunden«, sprach Traugott unwillkürlich. »Wen denn, wen haben Ew. Edlen nicht gefunden?« fragte der Mäkler. »Den Maler Godofredus Berklinger und seine Tochter Felizitas«, erwiderte Traugott, »ich habe sie in ganz Italien gesucht, in Sorrent wußte kein Mensch etwas von ihnen.« Da sah ihn der Mäkler an mit starren Blicken und stammelte: »Wo haben Ew. Edlen den Maler und die Felizitas gesucht? – in Italien? in Neapel? in Sorrent?« – »Nun ja doch, freilich!« rief Traugott voll Ärger. Da schlug aber der Mäkler ein

Mal übers andere die Hände zusammen und schrie immer dazwischen: »Ei du meine Güte! ei du meine Güte! aber Herr Traugott, Herr Traugott!« – »Nun, was ist denn da viel sich darüber zu verwundern«, sagte dieser, »gebärden Sie sich nur nicht so närrisch. Um der Geliebten willen reiset man wohl nach Sorrent. Ja, ja! ich liebte die Felizitas und zog ihr nach.« Aber der Mäkler hüpfte auf einem Beine und schrie immerfort: »Ei du meine Güte! ei du meine Güte!«, bis ihn Traugott festhielt und mit ernstem Blicke fragte: »Nun, so sagen Sie doch nur um des Himmels willen, was Sie so seltsam finden?« »Aber, Herr Traugott«, fing endlich der Mäkler an, »wissen Sie denn nicht, daß der Herr Aloysius Brandstetter, unser verehrter Ratsherr und Gildeältester, sein kleines Landhaus dicht am Fuß des Karlsberges, im Tannenwäldchen, nach Conrads Hammer hin, Sorrent genannt hat? Der kaufte dem Berklinger seine Bilder ab und nahm ihn nebst Tochter ins Haus, das heißt, nach Sorrent hinaus. Da haben sie gewohnt jahrelang, und Sie hätten, verehrter Herr Traugott, ständen Sie nur mit Ihren beiden lieben Füßen mitten auf dem Karlsberge, in den Garten hineinschauen und die Mamsell Felizitas in wunderlichen altdeutschen Weiberkleidern, wie auf jenen Bildern dort, herumwandeln sehen können, brauchten gar nicht nach Italien zu reisen. Nachher ist der Alte – doch das ist eine traurige Geschichte!« – »Erzählen Sie«, sprach Traugott dumpf. »Ja!« fuhr der Mäkler fort, »der junge Brandstetter kam von England zurück, sah die Mamsell Felizitas und verliebte sich in dieselbe. Er überraschte die Mamsell im Garten, fiel romanhafterweise vor ihr auf beide Knie und schwur, daß er sie heiraten und aus der tyrannischen Sklaverei ihres Vaters befreien wolle. Der Alte stand, ohne daß es die jungen Leute bemerkt hatten, dicht hinter ihnen, und in dem Augenblick, als Felizitas sprach: ›Ich will die Ihrige sein‹, fiel er mit einem dumpfen Schrei nieder und war mausetot. Er soll sehr häßlich ausgesehen haben – ganz blau und blutig, weil ihm, man weiß nicht wie, ein Pulsader gesprungen war. Den jungen Herrn Brandstetter konnte die Mamsell Felizitas nachher gar nicht mehr leiden und heiratete endlich den Hof- und Kriminalrat Mathesius in Marienwerder. Ew. Edlen können die Frau Kriminalrätin besuchen aus alter Anhänglichkeit. Marienwerder ist doch nicht so weit als das wahrhafte italienische Sorrent. Die liebe Frau soll sich wohl befinden und diverse Kinder in Kurs gesetzt haben.« Stumm und starr eilte Traugott von dannen. Dieser Ausgang seines Abenteuers erfüllte ihn mit Grauen und Entsetzen. »Nein, sie ist es nicht«, rief er, »sie ist es nicht – nicht Felizitas, das Himmelsbild, das in meiner Brust ein unendlich Sehnen entzündet, dem ich nachzog in ferne Lande, es vor mir und immer vor mir erblickend, wie meinen in süßer Hoffnung funkelnden flammenden Glücksstern! – Felizitas! – Kriminalrätin Mathesius, ha, ha, ha! – Kriminalrätin Mathesius!« – Traugott, von wildem Jammer erfaßt, lachte laut auf und ging wie sonst durchs Olivaer Tor,

durch Langfuhr bis auf den Karlsberg. Er schaute hinein in Sorrent, die Tränen stürzten ihm aus den Augen. »Ach«, rief er, »wie tief, wie unheilbar tief verletzt dein bittrer Hohn, du ewig waltende Macht, des armen Menschen weiche Brust! Aber nein, nein! was klagt das Kind über heillosen Schmerz, das in die Flamme greift, statt sich zu laben an Licht und Wärme. – Das Geschick erfaßte mich sichtbarlich, aber mein getrübter Blick erkannte nicht das höhere Wesen, und vermessen wähnte ich das, was, vom alten Meister geschaffen, wunderbar zum Leben erwacht auf mich zutrat, sei meinesgleichen und ich könne es herabziehen in die klägliche Existenz des irdischen Augenblicks. Nein, nein, Felizitas, nie habe ich dich verloren, du bleibst mein immerdar, denn du selbst bist ja die schaffende Kunst, die in mir lebt. Nun – nun erst habe ich dich erkannt. Was hast du, was habe ich mit der Kriminalrätin Mathesius zu schaffen! – Ich meine gar nichts!« – »Ich wüßte auch nicht, was Sie, verehrter Herr Traugott, mit der zu schaffen haben sollten«, fiel hier eine Stimme ein. – Traugott erwachte aus einem Traum. Er befand sich, ohne zu wissen auf welche Weise, wieder im Artushofe, an die Granitsäule gelehnt. Der, welcher jene Worte gesprochen, war Christinens Eheherr. Er überreichte dem Traugott einen eben aus Rom angelangten Brief. Matuszewski schrieb:
»Dorina ist hübscher und anmutiger als je, nur bleich vor Sehnsucht nach Dir, geliebter Freund! Sie erwartet Dich stündlich, denn fest steht es in ihrer Seele, daß Du

sie nimmer lassen könntest. Sie liebt Dich gar inniglich. Wann sehen wir Dich wieder?« –

»Sehr lieb ist es mir«, sprach Traugott, nachdem er dies gelesen, zu Christinens Eheherrn, »daß wir heute abgeschlossen haben, denn morgen reise ich nach Rom, wo mich eine geliebte Braut sehnlichst erwartet.«

Spieler-Glück

Mehr als jemals war im Sommer 18 . . Pyrmont besucht. Von Tag zu Tag mehrte sich der Zufluß vornehmer reicher Fremder und machte den Wetteifer der Spekulanten jeder Art rege. So kam es denn auch, daß die Unternehmer der Farobank dafür sorgten, ihr gleißendes Gold in größeren Massen aufzuhäufen als sonst, damit die Lockspeise sich bewähre auch bei dem edelsten Wilde, das sie, gute geübte Jäger, anzukörnen gedachten.

Wer weiß es nicht, daß, zumal zur Badezeit an Badeorten, wo jeder, aus seinem gewöhnlichen Verhältnis getreten, sich mit Vorbedacht hingibt freier Muße, sinnverstreuendem Vergnügen, der anziehende Zauber des Spiels unwiderstehlich wird. Man sieht Personen, die sonst keine Karte anrühren, an der Bank als die eifrigsten Spieler, und überdem will es auch, wenigstens in der vornehmen Welt, der gute Ton, daß man jeden Abend bei der Bank sich einfinde und einiges Geld verspiele.

Von diesem unwiderstehlichen Zauber, von dieser Regel des guten Tons schien allein ein junger deutscher Baron – wir wollen ihn Siegfried nennen – keine Notiz zu nehmen. Eilte alles an den Spieltisch, wurde ihm jedes Mittel, jede Aussicht, sich geistreich zu unterhalten, wie er es liebte, abgeschnitten, so zog er es vor, entweder auf einsamen Spaziergängen sich dem Spiel seiner Fantasie zu überlassen oder auf dem Zimmer dieses, jenes Buch zur Hand zu nehmen, ja wohl sich selbst im Dichten – Schriftstellern zu versuchen.

Siegfried war jung, unabhängig, reich, von edler Gestalt, anmutigem Wesen, und so konnte es nicht fehlen, daß man ihn hochschätzte, liebte, daß sein Glück bei den Weibern entschieden war. Aber auch in allem, was er nur beginnen, unternehmen mochte, schien ein besonderer Glücksstern über ihm zu walten. Man sprach von allerlei abenteuerlichen Liebeshändeln, die sich ihm aufgedrungen und die, so verderblich sie allem Anschein nach jedem andern gewesen sein würden, sich auf unglaubliche Weise leicht und glücklich auflösten. Vorzüglich pflegten aber die alten Herrn aus des Barons Bekanntschaft, wurde von ihm, von seinem Glück gesprochen, einer Geschichte von einer Uhr zu erwähnen, die sich in seinen ersten Jünglingsjahren zugetragen. Es begab sich nämlich, daß Siegfried, als er noch unter Vormundschaft stand, auf einer Reise ganz unerwartet in solch dringende Geldnot geriet, daß er, um nur weiter fortzukommen, seine goldne, mit Brillanten reichbesetzte Uhr verkaufen mußte. Er war darauf gefaßt, die kostbare Uhr um geringes Geld zu verschleudern; da es sich aber traf, daß in demselben Hotel, wo er eingekehrt, gerade ein junger Fürst solch ein Kleinod suchte, so erhielt er mehr, als der eigentliche Wert betrug. Über ein Jahr war vergangen, Siegfried schon sein eigner Herr worden, als er an einem andern Ort in den öffentlichen Blättern las, daß eine Uhr ausgespielt werden solle. Er nahm ein Los, das eine Kleinigkeit kostete, und – gewann die goldne, mit Brillanten besetzte Uhr, die er verkauft. Nicht lange darauf vertauschte er diese Uhr gegen einen kostbaren Ring. Er kam bei dem Fürsten von G. auf kurze Zeit in Dienste, und dieser schickte ihm bei seiner Entlassung als ein Andenken seines Wohlwollens – dieselbe goldne, mit Brillanten besetzte Uhr mit reicher Kette! –

Von dieser Geschichte kam man denn auf Siegfrieds Eigenschaft, durchaus keine Karte anrühren zu wollen, wozu er bei seinem entschiedenen Glück um so mehr Anlaß habe, und war bald darüber einig, daß der Baron bei seinen übrigen glänzenden Eigenschaften ein Knicker sei, viel zu ängstlich, viel zu engherzig, um sich auch nur dem geringsten Verlust auszusetzen. Darauf, daß das Betragen des Barons jedem Verdacht des Geizes ganz entschieden widersprach, wurde nicht geachtet, und wie es denn nun zu geschehen pflegt, daß die meisten recht darauf erpicht sind, dem Ruhm irgendeines hochbegabten Mannes ein bedenkliches Aber hinzufügen zu können und dies Aber irgendwo aufzufinden wissen, sollte es auch in ihrer eignen Einbildung ruhen, so war man mit jener Deutung von Siegfrieds Widerwillen gegen das Spiel gar höchlich zufrieden.

Siegfried erfuhr sehr bald, was man von ihm behauptete, und da er, hochherzig und liberal wie er war, nichts mehr haßte, verabscheute als Knickerei, so beschloß er, um die Verleumder zu schlagen, sosehr ihn auch das Spiel anekeln mochte, sich mit ein paar hundert Louisdor und auch wohl mehr loszukaufen von dem schlimmen Verdacht. – Er fand sich bei der Bank ein mit dem festen Vorsatz, die bedeutende Summe, die er eingesteckt, zu verlieren; aber auch im Spiel wurde ihm das Glück, das ihm in allem, was er unternahm, zur Seite stand, nicht untreu. Jede Karte, die er wählte, gewann. Die kabbalistischen Berechnungen alter, geübter Spieler scheiterten an dem Spiel des Barons. Er mochte die Karten wechseln, er mochte dieselbe fortsetzen, gleichviel, immer war sein der Gewinn. Der Baron gab das seltene Schauspiel eines Ponteurs, der darüber außer sich geraten will, weil die Karten ihm zuschlagen, und so nahe die Erklärung dieses Benehmens lag, schaute man sich doch an mit bedenklichen Gesichtern und gab nicht undeutlich zu verstehen, der Baron könne, von dem Hange zum Sonderbaren fortgerissen, zuletzt in einigen Wahnsinn verfallen, denn wahnsinnig müßte doch der Spieler sein, der sich über sein Glück entsetze.

Eben der Umstand, daß er eine bedeutende Summe gewonnen, nötigte den Baron, fortzuspielen und so, da aller Wahrscheinlichkeit gemäß dem bedeutenden Gewinn ein noch bedeutenderer Verlust folgen mußte, das durchzusetzen, was er sich vorgenommen. Aber

keineswegs traf das ein, was man vermuten konnte, denn sich ganz gleich blieb das entschiedene Glück des Barons.
Ohne daß er es selbst bemerkte, regte sich in dem Innern des Barons die Lust an dem Farospiel, das in seiner Einfachheit das verhängnisvollste ist, mehr und mehr auf.
Er war nicht mehr unzufrieden mit seinem Glück, das Spiel fesselte seine Aufmerksamkeit und hielt ihn fest ganze Nächte hindurch, so daß er, da nicht der Gewinn, sondern recht eigentlich das Spiel ihn anzog, notgedrungen an den besonderen Zauber, von dem sonst seine Freunde gesprochen und den er durchaus nicht statuieren wollen, glauben mußte.
Als er in einer Nacht, da der Bankier gerade eine Taille geendet, die Augen aufschlug, gewahrte er einen ältlichen Mann, der sich ihm gegenübergestellt hatte und den wehmütig ernsten Blick fest und unverwandt auf ihn richtete. Und jedesmal, wenn der Baron während des Spiels aufschaute, traf sein Blick das düstre Auge des Fremden, so daß er sich eines drückenden, unheimlichen Gefühls nicht erwehren konnte. Erst als das Spiel beendet, verließ er den Saal. In der folgenden Nacht stand er wieder dem Baron gegenüber und starrte ihn an unverwandt mit düstren, gespenstischen Augen. Noch hielt der Baron an sich; als aber in der dritten Nacht der Fremde sich wieder eingefunden und, zehrendes Feuer im Auge, den Baron anstarrte, fuhr dieser los: »Mein Herr, ich muß Sie bitten, sich

einen andern Platz zu wählen. Sie genieren mein Spiel.«
Der Fremde verbeugte sich schmerzlich lächelnd und verließ, ohne ein Wort zu sagen, den Spieltisch und den Saal. – Und in folgender Nacht stand doch der Fremde wieder dem Baron gegenüber, mit dem düster glühenden Blick ihn durchbohrend.
Da fuhr noch zorniger als in der vorigen Nacht der Baron auf: »Mein Herr, wenn es Ihnen Spaß macht, mich anzugaffen, so bitte ich eine andere Zeit und einen andern Ort dazu zu wählen, in diesem Augenblick aber sich –«
Eine Bewegung mit der Hand nach der Türe diente statt des harten Worts, das der Baron eben ausstoßen wollte. – Und wie in der vorigen Nacht, mit demselben schmerzlichen Lächeln sich leicht verbeugend, verließ der Fremde den Saal.
Vom Spiel, vom Wein, den er genossen, ja selbst von dem Auftritt mit dem Fremden aufgeregt, konnte Siegfried nicht schlafen. Der Morgen dämmerte schon herauf, als die ganze Gestalt des Fremden vor seine Augen trat. Er erblickte das bedeutende, scharf gezeichnete, gramverstörte Gesicht, die tiefliegenden düstern Augen, die ihn anstarrten, er bemerkte, wie trotz der ärmlichen Kleidung der edle Anstand den Mann von feiner Erziehung verriet. – Und nun die Art, wie der Fremde mit schmerzhafter Resignation die harten Worte aufnahm und sich, das bitterste Gefühl mit Gewalt niederkämpfend, aus dem Saal entfernte!

– »Nein«, rief Siegfried, »ich tat ihm Unrecht – schweres Unrecht! – Liegt es denn in meinem Wesen, wie ein roher Bursche in gemeiner Unart aufzubrausen, Menschen zu beleidigen ohne den mindesten Anlaß?« – Der Baron kam dahin, sich zu überzeugen, daß der Mann ihn so angestarrt habe in dem erdrückendsten Gefühl des schneidenden Kontrastes, daß in dem Augenblick, als er vielleicht mit der bittersten Not kämpfe, er, der Baron, im übermütigen Spiel Gold über Gold aufgehäuft. Er beschloß, gleich den andern Morgen den Fremden aufzusuchen und die Sache auszugleichen.

Der Zufall fügte es, daß gerade die erste Person, der der Baron, in der Allee lustwandelnd, begegnete, eben der Fremde war.

Der Baron redete ihn an, entschuldigte eindringlich sein Benehmen in der gestrigen Nacht und schloß damit, den Fremden in aller Form um Verzeihung zu bitten. Der Fremde meinte, er habe gar nichts zu verzeihen, da man dem im eifrigen Spiel begriffenen Spieler vieles zugute halten müsse, überdem er aber allein sich auch dadurch, daß er hartnäckig auf dem Platze geblieben, wo er den Baron genieren müssen, die harten Worte zugezogen.

Der Baron ging weiter, er sprach davon, daß es oft im Leben augenblickliche Verlegenheiten gäbe, die den Mann von Bildung auf das empfindlichste niederdrückten, und gab nicht undeutlich zu verstehen, daß er bereit sei, das Geld, das er gewonnen, oder auch noch mehr, herzugeben, wenn dadurch vielleicht dem Fremden geholfen werden könnte.

»Mein Herr«, erwiderte der Fremde, »Sie halten mich für bedürftig, das bin ich gerade nicht, denn mehr arm als reich habe ich doch so viel, als meine einfache Weise zu leben fordert. Zudem werden Sie selbst erachten, daß ich, glauben Sie mich beleidigt zu haben und wollen es durch ein gut Stück Geld abmachen, dies unmöglich als ein Mann von Ehre würde annehmen können, wäre ich auch nicht Kavalier.«

»Ich glaube«, erwiderte der Baron betreten, »ich glaube, Sie zu verstehen, und bin bereit, Ihnen Genugtuung zu geben, wie Sie es verlangen.«

»O Himmel«, fuhr der Fremde fort, »o Himmel, wie ungleich würde der Zweikampf zwischen uns beiden sein! – Ich bin überzeugt, daß Sie ebenso wie ich den Zweikampf für eine kindische Raserei halten und keineswegs glauben, daß ein paar Tropfen Blut, vielleicht dem geritzten Finger entquollen, die befleckte Ehre rein waschen können. Es gibt mancherlei Fälle, die es zweien Menschen unmöglich machen können, auf dieser Erde nebeneinander zu existieren, und lebe der eine am Kaukasus und der andere an dem Tiber, es gibt keine Trennung, solange der Gedanke die Existenz des Gehaßten erreicht. Hier wird der Zweikampf, welcher darüber entscheidet, wer dem andern den Platz auf dieser Erde räumen soll, notwendig. – Zwischen uns beiden würde, wie ich eben gesagt, der Zweikampf ungleich sein, da mein Leben keineswegs so hoch zu stellen als das Ihrige. Stoße ich Sie nieder, so töte ich eine ganze Welt der schönsten Hoffnungen, bleibe ich, so haben Sie ein kümmerliches, von den bittersten, qualvollsten Erinnerungen verstörtes Dasein geendet! – Doch die Hauptsache bleibt, daß ich mich durchaus nicht für beleidigt halte. – Sie hießen mich gehen, und ich ging!« –

Die letzten Worte sprach der Fremde mit einem Ton, der die innere Kränkung verriet. Grund genug für den Baron, nochmals sich vorzüglich damit zu entschuldigen, daß, selbst wisse er nicht warum, ihm der Blick des Fremden bis ins Innerste gedrungen sei, daß er ihn zuletzt gar nicht habe ertragen können.

»Möchte«, sprach der Fremde, »möchte doch mein Blick in Ihrem Innersten, drang er wirklich hinein, den Gedanken an die bedrohliche Gefahr aufgeregt haben, in der Sie schweben. Mit frohem Mute, mit jugendlicher Unbefangenheit stehen Sie am Rande des Abgrundes, ein einziger Stoß, und Sie stürzen rettungslos hinab. – Mit einem Wort – Sie sind im Begriff, ein leidenschaftlicher Spieler zu werden und sich zu verderben.«

Der Baron versicherte, daß der Fremde sich ganz und gar irre. Er erzählte umständlich, wie er an den Spieltisch geraten, und behauptete, daß ihm der eigentliche Spielsinn ganz abgehe, daß er gerade den Verlust von ein paar hundert Louisdor wünsche und wenn er dies erreicht, aufhören werde zu pontieren. Bis jetzt habe er aber das entschiedenste Glück gehabt.

»Ach«, rief der Fremde, »ach, eben dies Glück ist die entsetzlichste, hämischste Verlockung der feindlichen Macht! – eben dieses Glück, womit Sie spielen, Baron! die ganze Art, wie Sie zum Spiel gekommen sind, ja selbst Ihr ganzes Wesen beim Spiel, welches nur zu deutlich verrät, wie immer mehr und mehr Ihr Interesse daran steigt – alles – alles erinnert mich nur zu lebhaft an das entsetzliche Schicksal eines Unglücklichen, welcher, Ihnen in vieler Hinsicht ähnlich, ebenso begann als Sie. Deshalb geschah es, daß ich mein Auge nicht verwenden konnte von Ihnen, daß ich mich kaum zurückzuhalten vermochte, mit Worten das zu sagen, was mein Blick Sie erraten lassen wollte! – O sieh doch nur die Dämonen ihre Krallenfäuste ausstrecken, dich hinabzureißen in den Orkus! – So hätt' ich rufen mögen. – Ich wünschte Ihre Bekanntschaft zu machen, das ist mir wenigstens gelungen. – Erfahren Sie die Geschichte jenes Unglücklichen, dessen ich erwähnte, vielleicht überzeugen Sie sich dann, daß es kein leeres Hirngespinst ist, wenn ich Sie in der dringendsten Gefahr erblicke und Sie warne.«

Beide, der Fremde und der Baron, nahmen Platz auf einer einsam stehenden Bank, dann begann der Fremde in folgender Art.

»Dieselben glänzenden Eigenschaften, die Sie, Herr Baron! auszeichnen, erwarben dem Chevalier Menars die Achtung und Bewunderung der Männer, machten ihn zum Liebling der Weiber. Nur was den Reichtum betrifft, hatte das Glück ihn nicht so begünstigt wie

Sie. Er war beinahe bedürftig, und nur durch die geregeltste Lebensart wurde es ihm möglich, mit dem Anstande zu erscheinen, wie es seine Stellung als Abkömmling einer bedeutenden Familie erforderte. Schon deshalb, da ihm der kleinste Verlust empfindlich sein, seine ganze Lebensweise verstören mußte, durfte er sich auf kein Spiel einlassen, zudem fehlte es ihm auch an allem Sinn dafür, und er brachte daher, wenn er das Spiel vermied, kein Opfer. Sonst gelang ihm alles, was er unternahm, auf besondere Weise, so daß das Glück des Chevaliers Menars zum Sprüchwort wurde. – Wider seine Gewohnheit hatte er sich in einer Nacht überreden lassen, ein Spielhaus zu besuchen. Die Freunde, die mit ihm gegangen, waren bald ins Spiel verwickelt.

Ohne Teilnahme, in ganz andere Gedanken vertieft, schritt der Chevalier bald den Saal auf und ab, starrte bald hin auf den Spieltisch, wo dem Bankier von allen Seiten Gold über Gold zuströmte. Da gewahrte plötzlich ein alter Obrister den Chevalier und rief laut: »Alle Teufel! Da ist der Chevalier Menars unter uns und sein Glück, und wir können nichts gewinnen, da er sich weder für den Bankier noch für die Ponteurs erklärt hat, aber das soll nicht länger so bleiben, er soll gleich für mich pontieren!«

Der Chevalier mochte sich mit seiner Ungeschicklichkeit, mit seinem Mangel an jeder Erfahrung entschuldigen, wie er wollte, der Obrist ließ nicht nach, der Chevalier mußte heran an den Spieltisch.

Gerade wie Ihnen, Herr Baron, ging es dem Chevalier, jede Karte schlug ihm zu, so daß er bald eine bedeutende Summe für den Obristen gewonnen hatte, der sich gar nicht genug über den herrlichen Einfall freuen konnte, daß er das bewährte Glück des Chevaliers Menars in Anspruch genommen.

Auf den Chevalier selbst machte sein Glück, das alle übrigen in Erstaunen setzte, nicht den mindesten Eindruck; ja er wußte selbst nicht, wie es geschah, daß sein Widerwillen gegen das Spiel sich noch vermehrte, so daß er am andern Morgen, als er die Folgen der mit Anstrengung durchwachten Nacht in der geistigen und körperlichen Erschlaffung fühlte, sich auf das ernstlichste vornahm, unter keiner Bedingung jemals wieder ein Spielhaus zu besuchen.

Noch bestärkt wurde dieser Vorsatz durch das Betragen des alten Obristen, der, sowie er nur eine Karte in die Hand nahm, das entschiedenste Unglück hatte und dies Unglück nun in seltsamer Betörtheit dem Chevalier auf den Hals schob. Auf zudringliche Weise verlangte er, der Chevalier solle für ihn pontieren oder ihm, wenn er spiele, wenigstens zur Seite stehen, um durch seine Gegenwart den bösen Dämon, der ihm die Karten in die Hand schob, die niemals trafen, wegzubannen. – Man weiß, daß nirgends mehr abgeschmackter Aberglaube herrscht als unter den Spielern. – Nur mit dem größten Ernst, ja mit der Erklärung, daß er sich lieber mit ihm schlagen als für ihn spielen wollte, konnte sich der Chevalier den

Obristen, der eben kein Freund von Duellen war, vom Leibe halten. – Der Chevalier verwünschte seine Nachgiebigkeit gegen den alten Toren.

Übrigens konnt' es nicht fehlen, daß die Geschichte von dem wunderbar glücklichen Spiel des Chevaliers von Mund zu Mund lief und daß noch allerlei rätselhafte, geheimnisvolle Umstände hinzugedichtet wurden, die den Chevalier als einen Mann, der mit den höheren Mächten im Bunde, darstellten. Daß aber der Chevalier seines Glücks unerachtet keine Karte berührte, mußte den höchsten Begriff von der Festigkeit seines Charakters geben und die Achtung, in der er stand, noch um vieles vermehren.

Ein Jahr mochte vergangen sein, als der Chevalier durch das unerwartete Ausbleiben der kleinen Summe, von der er seinen Lebensunterhalt bestritt, in die drückendste, peinlichste Verlegenheit gesetzt wurde. Er war genötigt, sich seinem treuesten Freunde zu entdecken, der ohne Anstand ihm mit dem, was er bedurfte, aushalf, zugleich ihn aber den ärgsten Sonderling schalt, den es wohl jemals gegeben.

»Das Schicksal«, sprach er, »gibt uns Winke, auf welchem Wege wir unser Heil suchen sollen und finden, nur in unsrer Indolenz liegt es, wenn wir diese Winke nicht beachten, nicht verstehen. Dir hat die höhere Macht, die über uns gebietet, sehr deutlich ins Ohr geraunt: Willst du Geld und Gut erwerben, so geh hin und spiele, sonst bleibst du arm, dürftig, abhängig immerdar.«

Nun erst trat der Gedanke, wie wunderbar das Glück ihn an der Farobank begünstigt hatte, lebendig vor seine Seele, und träumend und wachend sah er Karten, hörte er das eintönige *gagne – perd* des Bankiers, das Klirren der Goldstücke!

»Es ist wahr«, sprach er zu sich selbst, »eine einzige Nacht wie jene reißt mich aus der Not, überhebt mich der drückenden Verlegenheit, meinen Freunden beschwerlich zu fallen; es ist Pflicht, dem Winke des Schicksals zu folgen.«

Eben der Freund, der ihm zum Spiel geraten, begleitete ihn ins Spielhaus, gab ihm, damit er sorglos das Spiel beginnen könne, noch zwanzig Louisdor.

Hatte der Chevalier damals, als er für den alten Obristen pontierte, glänzend gespielt, so war dies jetzt doppelt der Fall. Blindlings, ohne Wahl zog er die Karten, die er setzte, aber nicht er, die unsichtbare Hand der höheren Macht, die mit dem Zufall vertraut oder vielmehr das selbst ist, was wir Zufall nennen, schien sein Spiel zu ordnen. Als das Spiel geendet, hatte er tausend Louisdor gewonnen.

In einer Art von Betäubung erwachte er am andern Morgen. Die gewonnenen Goldstücke lagen aufgeschüttet neben ihm auf dem Tische. Er glaubte im ersten Moment zu träumen, er rieb sich die Augen, er erfaßte den Tisch, rückte ihn näher heran. Als er sich nun aber besann, was geschehen, als er in den Goldstücken wühlte, als er sie wohlgefällig zählte und wieder durchzählte, da ging zum erstenmal wie ein verderblicher Gifthauch die Lust an dem schnöden Mammon durch sein ganzes Wesen, da war es geschehen um die Reinheit der Gesinnung, die er so lange bewahrt! – Er konnte kaum die Nacht erwarten, um an den Spieltisch zu kommen. Sein Glück blieb sich gleich, so daß er in wenigen Wochen, während welcher er beinahe jede Nacht gespielt, eine bedeutende Summe gewonnen hatte.

Es gibt zweierlei Arten von Spieler. Manchen gewährt, ohne Rücksicht auf Gewinn, das Spiel selbst als Spiel eine unbeschreibliche geheimnisvolle Lust. Die sonderbaren Verkettungen des Zufalls wechseln in dem seltsamsten Spiel, das Regiment der höhern Macht tritt klarer hervor, und eben dieses ist es, was unsern Geist anregt, die Fittiche zu rühren und zu versuchen, ob er sich nicht hineinschwingen kann in das dunkle Reich, in die verhängnisvolle Werkstatt jener Macht, um ihre Arbeiten zu belauschen. – Ich habe einen Mann gekannt, der Tage, Nächte lang einsam in seinem Zimmer Bank machte und gegen sich selbst pontierte, der war meines Bedünkens ein echter Spieler. – Andere haben nur den Gewinst vor Augen und betrachten das Spiel als ein Mittel, sich schnell zu bereichern. Zu dieser Klasse schlug sich der Chevalier und bewährte dadurch den Satz, daß der eigentliche tiefere Spielsinn in der individuellen Natur liegen, angeboren sein muß.

Ebendaher war ihm der Kreis, in dem sich der Ponteur bewegt, bald zu enge. Mit der sehr beträchtlichen Summe, die er sich erspielt, etablierte er eine Bank, und

auch hier begünstigte ihn das Glück dergestalt, daß in kurzer Zeit seine Bank die reichste war in ganz Paris. Wie es in der Natur der Sache liegt, strömten ihm, dem reichsten, glücklichsten Bankier, auch die meisten Spieler zu.
Das wilde, wüste Leben des Spielers vertilgte bald alle die geistigen und körperlichen Vorzüge, die dem Chevalier sonst Liebe und Achtung erworben hatten. Er hörte auf, ein treuer Freund, ein unbefangener, heitrer Gesellschafter, ein ritterlich galanter Verehrer der Damen zu sein. Erloschen war sein Sinn für Wissenschaft und Kunst, dahin all sein Streben, in tüchtiger Erkenntnis vorzuschreiten. Auf seinem todbleichen Gesicht, in seinen düstern, dunkles Feuer sprühenden Augen lag der volle Ausdruck der verderblichsten Leidenschaft, die ihn umstrickt hielt. – Nicht Spielsucht, nein, der gehässigste Geldgeiz war es, den der Satan selbst in seinem Innern entzündet! – Mit einem Wort, es war der vollendetste Bankier, wie es nur einen geben kann!
In einer Nacht war dem Chevalier, ohne daß er gerade bedeutenden Verlust erlitten, doch das Glück weniger günstig gewesen als sonst. Da trat ein kleiner, alter, dürrer Mann, dürftig gekleidet, von beinahe garstigem Ansehen an den Spieltisch, nahm mit zitternder Hand eine Karte und besetzte sie mit einem Goldstück. Mehrere von den Spielern blickten den Alten an mit tiefem Erstaunen, behandelten ihn aber dann mit auffallender Verachtung, ohne daß der Alte auch nur eine

Miene verzog, viel weniger mit einem Wort sich darüber beschwerte.
Der Alte verlor – verlor einen Satz nach dem andern, aber je höher sein Verlust stieg, desto mehr freuten sich die andern Spieler. Ja, als der Alte, der seine Sätze immerfort doublierte, einmal fünfhundert Louisdor auf eine Karte gesetzt und diese in demselben Augenblick umschlug, rief einer laut lachend: »Glück zu, Signor Vertua, Glück zu, verliert den Mut nicht, setzt immerhin weiter fort, Ihr seht mir so aus, als würdet Ihr doch noch am Ende die Bank sprengen durch ungeheuern Gewinst!«
Der Alte warf einen Basiliskenblick auf den Spötter und rannte schnell von dannen, aber nur, um in einer halben Stunde wiederzukehren, die Taschen mit Gold gefüllt. In der letzten Taille mußte indessen der Alte aufhören, da er wiederum alles Gold verspielt, das er zur Stelle gebracht.
Dem Chevalier, der, aller Verruchtheit seines Treibens unerachtet, doch auf einen gewissen Anstand hielt, der bei seiner Bank beobachtet werden mußte, hatte der Hohn, die Verachtung, womit man den Alten behandelt, im höchsten Grade mißfallen. Grund genug, nach beendetem Spiel, als der Alte sich entfernt hatte, darüber jenen Spötter sowie ein paar andere Spieler, deren verächtliches Betragen gegen den Alten am meisten aufgefallen und die, vom Chevalier dazu aufgefordert, noch dageblieben, sehr ernstlich zur Rede zu stellen.
»Ei«, rief der eine, »Ihr kennt den alten Francesco Ver-

tua nicht, Chevalier! sonst würdet Ihr Euch über uns und unser Betragen gar nicht beklagen, es vielmehr ganz und gar gutheißen. Erfahrt, daß dieser Vertua, Neapolitaner von Geburt, seit fünfzehn Jahren in Paris, der niedrigste, schmutzigste, bösartigste Geizhals und Wucherer ist, den es geben mag. Jedes menschliche Gefühl ist ihm fremd, er könnte seinen eignen Bruder im Todeskrampf sich zu seinen Füßen krümmen sehen, und vergebens würd' es bleiben, ihm, wenn auch dadurch der Bruder gerettet werden könnte, auch nur einen einzigen Louisdor entlocken zu wollen. Die Flüche und Verwünschungen einer Menge Menschen, ja ganzer Familien, die durch seine satanischen Spekulationen ins tiefste Verderben gestürzt wurden, lasten schwer auf ihm. Er ist bitter gehaßt von allen, die ihn kennen, jeder wünscht, daß die Rache für alles Böse, das er tat, ihn erfassen und sein schuldbeflecktes Leben enden möge. Gespielt hat er, wenigstens solange er in Paris ist, niemals, und Ihr dürft Euch nach alledem über das tiefe Erstaunen gar nicht verwundern, in das wir gerieten, als der alte Geizhals an den Spieltisch trat. Ebenso mußten wir uns wohl über seinen bedeutenden Verlust freuen, denn arg, ganz arg würde es doch gewesen sein, wenn das Glück den Bösewicht begünstigt hätte. Es ist nur zu gewiß, daß der Reichtum Eurer Bank, Chevalier! den alten Toren verblendet hat. Er gedachte *Euch* zu rupfen und verlor selbst die Federn. Unbegreiflich bleibt es mir aber doch, wie Vertua, dem eigentlichen

Charakter des Geizhalses entgegen, sich entschließen konnte zu solch hohem Spiel. Nun! – er wird wohl nicht wiederkommen, wir sind ihn los!«

Diese Vermutung traf jedoch keineswegs ein, denn schon in der folgenden Nacht stand Vertua wiederum an der Bank des Chevaliers und setzte und verlor viel bedeutender als gestern. Dabei blieb er ruhig, ja, er lächelte zuweilen mit einer bittern Ironie, als wisse er im voraus, wie bald sich alles ganz anders begeben würde. Aber wie eine Lawine wuchs schneller und schneller in jeder der folgenden Nächte der Verlust des Alten, so daß man zuletzt nachrechnen wollte, er habe an dreißigtausend Louisdor zur Bank bezahlt. Da kam er einst, als schon längst das Spiel begonnen, totenbleich, mit verstörtem Blick in den Saal und stellte sich fern von dem Spieltisch hin, das Auge starr auf die Karten gerichtet, die der Chevalier abzog. Endlich, als der Chevalier die Karten gemischt hatte, abheben ließ und eben die Taille beginnen wollte, rief der Alte mit kreischendem Ton: »Halt!«, daß alle beinahe entsetzt sich umschauten. Da drängte sich der Alte durch bis dicht an den Chevalier hinan und sprach ihm mit dumpfer Stimme ins Ohr: »Chevalier! mein Haus in der Straße St. Honoré nebst der ganzen Einrichtung und meiner Habe an Silber, Gold und Juwelen ist geschätzt auf achtzigtausend Franken, wollt Ihr den Satz halten?«

»Gut«, erwiderte der Chevalier kalt, ohne sich umzusehen nach dem Alten, und begann die Taille.

»Die Dame«, sprach der Alte, und in dem nächsten

Abzug hatte die Dame verloren! – Der Alte prallte zurück und lehnte sich an die Wand, regungs- und bewegungslos, der starren Bildsäule ähnlich. Niemand kümmerte sich weiter um ihn.
Das Spiel war geendet, die Spieler verloren sich, der Chevalier packte mit seinen Croupiers das gewonnene Gold in die Kassette; da wankte wie ein Gespenst der alte Vertua aus dem Winkel hervor auf den Chevalier zu und sprach mit hohler, dumpfer Stimme: »Noch ein Wort, Chevalier! ein einziges Wort!«
»Nun was gibt's?« erwiderte der Chevalier, indem er den Schlüssel abzog von der Kassette und dann den Alten verächtlich maß von Kopf bis zu Fuß.
»Mein ganzes Vermögen«, fuhr der Alte fort, »verlor ich an Eure Bank, Chevalier, nichts, nichts blieb mir übrig, ich weiß nicht, wo ich morgen mein Haupt hinlegen, wovon ich meinen Hunger stillen soll. Zu Euch, Chevalier, nehme ich meine Zuflucht. Borgt mir von der Summe, die Ihr von mir gewonnen, den zehnten Teil, damit ich mein Geschäft wieder beginne und mich emporschwinge aus der tiefsten Not.«
»Wo denkt Ihr hin«, erwiderte der Chevalier, »wo denkt Ihr hin, Signor Vertua, wißt Ihr nicht, daß ein Bankier niemals Geld wegborgen darf von seinem Gewinst? Das läuft gegen die alte Regel, von der ich nicht abweiche.«
»Ihr habt recht«, sprach Vertua weiter, »Ihr habt recht, Chevalier, meine Forderung war unsinnig – übertrieben – den zehnten Teil! – nein! den zwanzigsten Teil

borgt mir!« »Ich sage Euch ja«, antwortete der Chevalier verdrießlich, »daß ich von meinem Gewinst durchaus nichts verborge!«
»Es ist wahr«, sprach Vertua, indem sein Antlitz immer mehr erbleichte, immer stierer und starrer sein Blick wurde, »es ist wahr, Ihr dürft nichts verborgen – ich tat es ja auch sonst nicht! – Aber dem Bettler gebt ein Almosen – gebt ihm von dem Reichtum, den Euch heute das blinde Glück zuwarf, hundert Louisdor.«
»Nun in Wahrheit«, fuhr der Chevalier zornig auf, »Ihr versteht es, die Leute zu quälen, Signor Vertua! Ich sage Euch, nicht hundert, nicht fünfzig – nicht zwanzig – nicht einen einzigen Louisdor erhaltet Ihr von mir. Rasend müßt' ich sein, Euch auch nur im mindesten Vorschub zu leisten, damit Ihr Euer schändliches Gewerbe wieder von neuem beginnen könntet. Das Schicksal hat Euch niedergetreten in den Staub wie einen giftigen Wurm, und es wäre ruchlos, Euch wieder emporzurichten. Geht hin und verderbt, wie Ihr es verdient!«
Beide Hände vors Gesicht gedrückt, sank mit einem dumpfen Seufzer Vertua zusammen. Der Chevalier befahl den Bedienten, die Kassette in den Wagen hinabzubringen, und rief dann mit starker Stimme: »Wann übergebt Ihr mir Euer Haus, Eure Effekten, Signor Vertua?«
Da raffte sich Vertua auf vom Boden und sprach mit fester Stimme: »Jetzt gleich – in diesem Augenblick, Chevalier! kommt mit mir!«

»Gut«, erwiderte der Chevalier, »Ihr könnt mit mir fahren nach Eurem Hause, das Ihr dann am Morgen auf immer verlassen möget.«
Den ganzen Weg über sprach keiner, weder Vertua noch der Chevalier, ein einziges Wort. – Vor dem Hause in der Straße St. Honoré angekommen, zog Vertua die Schelle. Ein altes Mütterchen öffnete und rief, als sie Vertua gewahrte: »O Heiland der Welt, seid Ihr es endlich, Signor Vertua! Halb tot hat sich Angela geängstet Euerthalben!« –
»Schweige«, erwiderte Vertua, »gebe der Himmel, daß Angela die unglückliche Glocke nicht gehört hat! Sie soll nicht wissen, daß ich gekommen bin.«
Und damit nahm er der ganz versteinerten Alten den Leuchter mit den brennenden Kerzen aus der Hand und leuchtete dem Chevalier vorauf ins Zimmer.
»Ich bin«, sprach Vertua, »auf alles gefaßt. Ihr haßt, Ihr verachtet mich, Chevalier! Ihr verderbt mich, Euch und andern zur Lust, aber Ihr kennt mich nicht. Vernehmt denn, daß ich ehemals ein Spieler war wie Ihr, daß mir das launenhafte Glück ebenso günstig war als Euch, daß ich halb Europa durchreiste, überall verweilte, wo hohes Spiel, die Hoffnung großen Gewinstes mich anlockte, daß sich das Gold in meiner Bank unaufhörlich häufte wie in der Eurigen. Ich hatte ein schönes, treues Weib, die ich vernachlässigte, die elend war mitten im glänzendsten Reichtum. Da begab es sich, daß, als ich einmal in Genua meine Bank aufgeschlagen, ein junger Römer sein ganzes reiches Erbe an

meine Bank verspielte. So wie ich heute Euch, bat er mich, ihm Geld zu leihen, um wenigstens nach Rom zurückreisen zu können. Ich schlug es ihm mit Hohngelächter ab, und er stieß mir in der wahnsinnigen Wut der Verzweiflung das Stilett, welches er bei sich trug, tief in die Brust. Mit Mühe gelang es den Ärzten, mich zu retten, aber mein Krankenlager war langwierig und schmerzhaft. Da pflegte mich mein Weib, tröstete mich, hielt mich aufrecht, wenn ich erliegen wollte der Qual, und mit der Genesung dämmerte ein Gefühl in mir auf und wurde mächtiger und mächtiger, das ich noch nie gekannt. Aller menschlichen Regung wird entfremdet der Spieler, so kam es, daß ich nicht wußte, was Liebe, treue Anhänglichkeit eines Weibes heißt. Tief in der Seele brannte es mir, was mein undankbares Herz gegen die Gattin verschuldet und welchem frevelichen Beginnen ich sie geopfert. Wie quälende Geister der Rache erschienen mir alle die, deren Lebensglück, deren ganze Existenz ich mit verruchter Gleichgültigkeit gemordet, und ich hörte ihre dumpfen, heisern Grabesstimmen, die mir vorwarfen alle Schuld, alle Verbrechen, deren Keim ich gepflanzt! Nur mein Weib vermochte den namenlosen Jammer, das Entsetzen zu bannen, das mich dann erfaßte! – Ein Gelübde tat ich, nie mehr eine Karte zu berühren. Ich zog mich zurück, ich riß mich los von den Banden, die mich festhielten, ich widerstand den Lockungen meiner Croupiers, die mich und mein Glück nicht entbehren wollten. Ein kleines Landhaus bei Rom, das ich erstand, war der Ort, wohin ich, als ich vollkommen genesen, hinflüchtete mit meinem Weibe. Ach! nur ein einziges Jahr wurde mir eine Ruhe, ein Glück, eine Zufriedenheit zuteil, die ich nie geahnet! Mein Weib gebar mir eine Tochter und starb wenige Wochen darauf. Ich war in Verzweiflung, ich klagte den Himmel an und verwünschte dann wieder mich selbst, mein verruchtes Leben, das die ewige Macht rächte, da sie mir mein Weib nahm, das mich vom Verderben gerettet, das einzige Wesen, das mir Trost gab und Hoffnung. Wie den Verbrecher, der das Grauen der Einsamkeit fürchtet, trieb es mich fort von meinem Landhause hieher nach Paris. Angela blühte auf, das holde Ebenbild ihrer Mutter, an ihr hing mein ganzes Herz, für sie ließ ich es mir angelegen sein, ein bedeutendes Vermögen nicht nur zu erhalten, sondern zu vermehren. Es ist wahr, ich lieh Geld aus auf hohe Zinsen, schändliche Verleumdung ist es aber, wenn man mich des betrügerischen Wuchers anklagt. Und wer sind diese Ankläger? Leichtsinnige Leute, die mich rastlos quälen, bis ich ihnen Geld borge, das sie wie ein Ding ohne Wert verprassen und dann außer sich geraten wollen, wenn ich das Geld, welches nicht mir, nein, meiner Tochter gehört, für deren Vermögensverwalter ich mich nur ansehe, mit unerbittlicher Strenge eintreibe. Nicht lange ist es her, als ich einen jungen Menschen der Schande, dem Verderben entriß, dadurch, daß ich ihm eine bedeutende Summe vorstreckte. Nicht mit einer Silbe gedachte ich, da er, wie ich wußte, blutarm war, der Forderung, bis er eine sehr reiche Erbschaft gemacht. Da trat ich ihn an wegen der Schuld. – Glaubt Ihr wohl, Chevalier, daß der leichtsinnige Bösewicht, der mir seine Existenz zu verdanken hatte, die Schuld ableugnen wollte, daß er mich einen niederträchtigen Geizhals schalt, als er mir, durch die Gerichte dazu angehalten, die Schuld bezahlen mußte? – Ich könnte Euch mehr dergleichen Vorfälle erzählen, die mich hart gemacht haben und gefühllos da, wo mir der Leichtsinn, die Schlechtigkeit entgegentritt. Noch mehr! – ich könnte Euch sagen, daß ich schon manche bittre Träne trocknete, daß manches Gebet für mich und für meine Angela zum Himmel stieg, doch Ihr würdet das für falsche Prahlerei halten und ohnedem nichts darauf geben, da Ihr ein Spieler seid! – Ich glaubte, daß die ewige Macht gesühnt sei – es war nur Wahn! denn freigegeben wurd' es dem Satan, mich zu verblenden auf entsetzlichere Weise als jemals. – Ich hörte von Euerm Glück, Chevalier! Jeden Tag vernahm ich, daß dieser, jener an Eurer Bank sich zum Bettler herabpontiert, da kam mir der Gedanke, daß ich bestimmt sei, mein Spielerglück, das mich noch niemals verlassen, gegen das Eure zu setzen, daß es in meine Hand gelegt sei, Eurem Treiben ein Ende zu machen, und dieser Gedanke, den nur ein seltsamer Wahnsinn erzeugen konnte, ließ mir fürder keine Ruhe, keine Rast. So geriet ich an Eure Bank, so verließ mich nicht eher meine entsetzliche Betörung, bis meine – meiner Angela Habe Euer war! – Es ist nun aus! –

Ihr werdet doch erlauben, daß meine Tochter ihre Kleidungsstücke mit sich nehme?«
»Die Garderobe Eurer Tochter«, erwiderte der Chevalier, »geht mich nichts an. Auch könnt Ihr Betten und notwendiges Hausgerät mitnehmen. Was soll ich mit dem Rumpelzeuge, doch seht Euch vor, daß nichts von einigem Wert mit unterlaufe, das mir zugefallen.«
Der alte Vertua starrte den Chevalier ein paar Sekunden sprachlos an, dann aber stürzte ein Tränenstrom aus seinen Augen, ganz vernichtet, ganz Jammer und Verzweiflung sank er nieder vor dem Chevalier und schrie mit aufgehobenen Händen: »Chevalier, habt Ihr noch menschliches Gefühl in Eurer Brust – seid barmherzig – barmherzig! – Nicht mich, meine Tochter, meine Angela, das unschuldige Engelskind stürzt Ihr ins Verderben! – o seid gegen diese barmherzig, leiht ihr, ihr, meiner Angela, den zwanzigsten Teil ihres Vermögens, das Ihr geraubt! – O ich weiß es, Ihr laßt Euch erflehen. – O Angela, meine Tochter!« –
Und damit schluchzte – jammerte – stöhnte der Alte und rief mit herzzerschneidendem Ton den Namen seines Kindes.
»Die abgeschmackte Theaterszene fängt an, mich zu langweilen«, sprach der Chevalier gleichgültig und verdrießlich, aber in demselben Augenblick sprang die Tür auf und hinein stürzte ein Mädchen im weißen Nachtgewande, mit aufgelösten Haaren, den Tod im Antlitz, stürzte hin auf den alten Vertua, hob ihn auf,

faßte ihn in die Arme und rief: »O mein Vater – mein Vater – ich hörte – ich weiß alles. – Habt Ihr denn alles verloren? alles? – Habt Ihr nicht Eure Angela? Was bedarf es Geld und Gut, wird Angela Euch nicht nähren, pflegen? – O Vater, erniedriget Euch nicht länger vor diesem verächtlichen Unmenschen. – Nicht wir sind es, er ist es, der arm und elend bleibt im vollen schnöden Reichtum, denn verlassen in grauenvoller, trostloser Einsamkeit steht er da, kein liebend Herz gibt es auf der weiten Erde, das sich anschmiegt an seine Brust, das sich ihm aufschließt, wenn er verzweifeln will an dem Leben, an sich selbst! – Kommt, mein Vater – verlaßt dies Haus mit mir, kommt, eilen wir hinweg, damit der entsetzliche Mensch sich nicht weide an Eurem Jammer!«
Vertua sank halb ohnmächtig in einen Lehnsessel, Angela kniete vor ihm nieder, faßte seine Hände, küßte, streichelte sie, zählte mit kindlicher Geschwätzigkeit alle die Talente, alle die Kenntnisse auf, die ihr zu Gebote standen und womit sie den Vater reichlich ernähren wolle, beschwor ihn unter heißen Tränen, doch nur ja allem Gram zu entsagen, da nun das Leben, wenn sie nicht zur Lust, nein, für ihren Vater sticke, nähe, singe, Guitarre spiele, erst rechten Wert für sie haben werde.
Wer, welcher verstockte Sünder hätte gleichgültig bleiben können bei dem Anblick der in voller Himmelsschönheit strahlenden Angela, wie sie mit süßer, holder Stimme den alten Vater tröstete, wie aus dem

tiefsten Herzen die reinste Liebe ausströmte und die kindlichste Tugend.
Noch anders ging es dem Chevalier. Eine ganze Hölle voll Qual und Gewissensangst wurde wach in seinem Innern. Angela erschien ihm der strafende Engel Gottes, vor dessen Glanz die Nebelschleier frevelicher Betörtheit dahinschwanden, so daß er mit Entsetzen sein elendvolles Ich in niedriger Nacktheit erblickte.
Und mitten durch diese Hölle, deren Flammen in des Chevaliers Innerm wüteten, fuhr ein göttlich reiner Strahl, dessen Leuchten die süßeste Wonne war und die Seligkeit des Himmels, aber bei dem Leuchten dieses Strahls wurde nur entsetzlicher die namenlose Qual!
Der Chevalier hatte noch nie geliebt. Als er Angela erblickte, das war der Moment, in dem er von der heftigsten Leidenschaft und zugleich von dem vernichtenden Schmerz gänzlicher Hoffnungslosigkeit erfaßt werden sollte. Denn hoffen konnte der Mann wohl nicht, der dem reinen Himmelskinde, der holden Angela, so erschien wie der Chevalier. – Der Chevalier wollte sprechen, er vermochte es nicht, es war, als lähme ein Krampf seine Zunge. Endlich nahm er sich mit Gewalt zusammen und stotterte mit bebender Stimme: »Signor Vertua – hört mich! – Ich habe nichts von Euch gewonnen, gar nichts – da steht meine Kassette – die ist Euer – nein! – ich muß Euch noch mehr zahlen – ich bin Euer Schuldner – nehmt – nehmt« –
»O meine Tochter«, rief Vertua, aber Angela erhob

sich, trat hin vor den Chevalier, strahlte ihn an mit stolzem Blick, sprach ernst und gefaßt: »Chevalier, erfahrt, daß es Höheres gibt als Geld und Gut, Gesinnungen, die Euch fremd sind, die uns, indem sie unsere Seele mit dem Trost des Himmels erfüllen, Euer Geschenk, Eure Gnade mit Verachtung zurückweisen lassen! – Behaltet den Mammon, auf dem der Fluch lastet, der Euch verfolgt, den herzlosen, verworfenen Spieler!«

»Ja!« – rief der Chevalier ganz außer sich mit wildem Blick, mit entsetzlicher Stimme, »ja verflucht – verflucht will ich sein, hinabgeschleudert in die tiefste Hölle, wenn jemals wieder diese Hand eine Karte berührt! – Und wenn Ihr mich dann von Euch stoßt, Angela! so seid Ihr es, die rettungsloses Verderben über mich bringt – o Ihr wißt nicht – versteht mich nicht – wahnsinnig müßt Ihr mich nennen – aber Ihr werdet es fühlen, alles wissen, wenn ich vor Euch liege mit zerschmettertem Gehirn – Angela! Tod oder Leben gilt es! – Lebt wohl!« –

Damit stürzte der Chevalier fort in voller Verzweiflung. Vertua durchblickte ihn ganz, er wußte, was in ihm vorgegangen, und suchte der holden Angela begreiflich zu machen, daß gewisse Verhältnisse eintreten könnten, die die Notwendigkeit herbeiführen müßten, des Chevaliers Geschenk anzunehmen. Angela entsetzte sich, den Vater zu verstehen. Sie sah nicht ein, wie es möglich sein könnte, dem Chevalier jemals anders als mit Verachtung zu begegnen. Das

Verhängnis, welches sich oft aus der tiefsten Tiefe des menschlichen Herzens, ihm selbst unbewußt, gestaltet, ließ das nicht Gedachte, das nicht Geahndete geschehen.

Dem Chevalier war es, als sei er plötzlich aus einem fürchterlichen Traum erwacht, er erblickte sich nun am Rande des Höllenabgrundes und streckte vergebens die Arme aus nach der glänzenden Lichtgestalt, die ihm erschienen, nicht ihn zu retten – nein! – ihn zu mahnen an seine Verdammnis.

Zum Erstaunen von ganz Paris verschwand die Bank des Chevaliers Menars aus dem Spielhause, man sah ihn selbst nicht mehr, und so kam es, daß sich die verschiedensten abenteuerlichsten Gerüchte verbreiteten, von denen eins lügenhafter war als das andere. Der Chevalier vermied alle Gesellschaft, seine Liebe sprach sich aus in dem tiefsten unverwindlichsten Gram. Da geschah es, daß ihm in den einsamen finstern Gängen des Gartens von Malmaison plötzlich der alte Vertua in den Weg trat mit seiner Tochter. –

Angela, welche geglaubt, den Chevalier nicht anders anblicken zu können als mit Abscheu und Verachtung, fühlte sich auf seltsame Weise bewegt, als sie den Chevalier vor sich sah, totenbleich, ganz verstört, in scheuer Ehrfurcht kaum sich ermutigend, die Augen aufzuschlagen. Sie wußte recht gut, daß der Chevalier seit jener verhängnisvollen Nacht das Spiel ganz aufgegeben, daß er seine ganze Lebensweise geändert. Sie, sie allein hatte dies alles bewirkt, sie hatte den Cheva-

lier gerettet aus dem Verderben, konnte etwas wohl mehr der Eitelkeit des Weibes schmeicheln?
So geschah es, daß, als Vertua mit dem Chevalier die gewöhnlichen Höflichkeitsbezeugungen gewechselt, Angela mit dem Ton des sanften, wohltuenden Mitleids fragte: »Was ist Euch, Chevalier Menars, Ihr seht krank, verstört aus? In Wahrheit, Ihr solltet Euch dem Arzt vertrauen.«
Man kann denken, daß Angelas Worte den Chevalier mit tröstender Hoffnung durchstrahlten. In dem Moment war er nicht mehr derselbe. Er erhob sein Haupt, er vermochte jene aus dem tiefsten Gemüt hervorquellende Sprache zu sprechen, die ihm sonst alle Herzen erschloß. Vertua erinnerte ihn daran, das Haus, das er gewonnen, in Besitz zu nehmen.
»Ja«, rief der Chevalier begeistert, »ja, Signor Vertua, das will ich! – Morgen komme ich zu Euch, aber erlaubt, daß wir über die Bedingungen uns recht sorglich beraten, und sollte das auch monatelang dauern.«
»Mag das geschehen, Chevalier«, erwiderte Vertua lächelnd, »mich dünkt, es könnte mit der Zeit dabei allerlei zur Sprache kommen, woran wir zur Zeit noch nicht denken mögen.« – Es konnte nicht fehlen, daß der Chevalier, im Innern getröstet, von neuem auflebte in aller Liebenswürdigkeit, wie sie ihm sonst eigen, ehe ihn die wirre, verderbliche Leidenschaft fortriß. Immer häufiger wurden seine Besuche bei dem alten Signor Vertua, immer geneigter wurde Angela dem, dessen rettender Schutzgeist sie gewesen, bis sie

endlich glaubte, ihn recht mit ganzem Herzen zu lieben, und ihm ihre Hand zu geben versprach, zur großen Freude des alten Vertua, der nun erst die Sache wegen seiner Habe, die er an den Chevalier verloren, als völlig ausgeglichen ansah.
Angela, des Chevaliers Menars glückliche Braut, saß eines Tages in allerlei Gedanken von Liebeswonne und Seligkeit, wie sie wohl Bräute zu haben pflegen, vertieft am Fenster. Da zog unter lustigem Trompetenschall ein Jägerregiment vorüber, bestimmt zum Feldzug nach Spanien. Angela betrachtete mit Teilnahme die Leute, die dem Tode geweiht waren in dem bösen Kriege, da schaute ein blutjunger Mensch, indem er das Pferd rasch zur Seite wandte, herauf zu Angela, und ohnmächtig sank sie zurück in den Sessel.
Ach, niemand anders war der Jäger, der dem blutigen Tod entgegenzog, als der junge Duvernet, der Sohn des Nachbars, mit dem sie aufgewachsen, der beinahe täglich in dem Hause gewesen und der erst ausgeblieben, seitdem der Chevalier sich eingefunden.
In dem vorwurfsschweren Blick des Jünglings, der bittre Tod selbst lag in ihm, erkannte Angela nun erst, nicht allein, wie unaussprechlich er sie geliebt – nein, wie grenzenlos sie selbst ihn liebe, ohne sich dessen bewußt zu sein, nur betört, verblendet von dem Glanze, den der Chevalier immer mehr um sich verbreitet. Nun erst verstand sie des Jünglings bange Seufzer, seine stillen anspruchslosen Bewerbungen, nun erst verstand sie ihr eignes befangenes Herz,

wußte sie, was ihre unruhige Brust bewegt, wenn Duvernet kam, wenn sie seine Stimme hörte.
»Es ist zu spät – er ist für mich verloren!« – so sprach es in Angelas Innerm. Sie hatte den Mut, das trostlose Gefühl, das ihr Inneres zerreißen wollte, niederzukämpfen, und eben deshalb, weil sie den Mut dazu hatte, gelang es ihr auch.
Daß irgend etwas Verstörendes vorgegangen sein müsse, konnte desungeachtet dem Scharfblick des Chevaliers nicht entgehen, er dachte indessen zart genug, ein Geheimnis nicht zu enträtseln, das Angela ihm verbergen zu müssen glaubte, sondern begnügte sich damit, um jedem bedrohlichen Feinde alle Macht zu nehmen, die Hochzeit zu beschleunigen, deren Feier er mit feinem Takt, mit tiefem Sinn für Lage und Stimmung der holden Braut einzurichten wußte, so daß diese schon deshalb aufs neue die hohe Liebenswürdigkeit des Gatten anerkannte.
Der Chevalier betrug sich gegen Angela mit der Aufmerksamkeit für den kleinsten ihrer Wünsche, mit der ungeheuchelten Hochschätzung, wie sie aus der reinsten Liebe entspringt, und so mußte Duvernets Andenken in ihrer Seele bald ganz und gar erlöschen. Der erste Wolkenschatten, der in ihr helles Leben trat, war die Krankheit und der Tod des alten Vertua.
Seit jener Nacht, als er sein ganzes Vermögen an des Chevaliers Bank verlor, hatte er nicht wieder eine Karte berührt, aber in den letzten Augenblicken des Lebens schien das Spiel seine Seele zu erfüllen ganz

und gar. Während der Priester, der gekommen, den Trost der Kirche ihm zu geben im Dahinscheiden, von geistlichen Dingen zu ihm sprach, lag er da mit geschlossenen Augen, murmelte zwischen den Zähnen – *perd – gagne* – machte mit den im Todeskampf zitternden Händen die Bewegungen des Taillierens, des Ziehens der Karten. Vergebens beugte Angela, der Chevalier sich über ihn her, sie rief ihn mit den zärtlichsten Namen, er schien beide nicht mehr zu kennen, nicht mehr zu gewahren. Mit dem innern Seufzer – *gagne* – gab er den Geist auf.

In dem tiefsten Schmerz konnte sich Angela eines unheimlichen Grauens über die Art, wie der Alte dahinschied, nicht erwehren. Das Bild jener entsetzlichen Nacht, in der sie den Chevalier zum erstenmal als den abgehärtetsten, verruchtesten Spieler erblickte, trat wieder lebhaft ihr vor Augen und der fürchterliche Gedanke in ihre Seele, daß der Chevalier die Maske des Engels abwerfen und, in ursprünglicher Teufelsgestalt sie verhöhnend, sein altes Leben wieder beginnen könne. – Nur zu wahr sollte bald Angelas schreckliche Ahnung werden. – Solche Schauer auch der Chevalier bei dem Dahinscheiden des alten Francesco Vertua, der, den Trost der Kirche verschmähend, in der letzten Todesnot nicht ablassen konnte von dem Gedanken an ein früheres sündhaftes Leben, solche Schauer er auch dabei empfand, so war doch dadurch, selbst wußte er nicht, wie das geschah, das Spiel lebhafter als jemals wieder ihm in den Sinn gekommen, so daß er allnächtlich im Traume an der Bank saß und neue Reichtümer aufhäufte.

In dem Grade, als Angela, von jenem Andenken, wie der Chevalier ihr sonst erschienen, erfaßt, befangener, als es ihr unmöglich wurde, jenes liebevolle, zutrauliche Wesen, mit dem sie ihm sonst begegnet, beizubehalten, in eben dem Grade kam Mißtrauen in des Chevaliers Seele gegen Angela, deren Befangenheit er jenem Geheimnis zuschrieb, das einst Angelas Gemütsruhe verstörte und das ihm unenthüllt geblieben. Dies Mißtrauen gebar Mißbehagen und Unmut, den er ausließ in allerlei Äußerungen, die Angela verletzten. In seltsamer psychischer Wechselwirkung frischte sich in Angelas Innerm das Andenken auf an den unglücklichen Duvernet und mit ihm das trostlose Gefühl der auf ewig zerstörten Liebe, die, die schönste Blüte, aufgekeimt im jugendlichen Herzen. Immer höher stieg die Verstimmung der Ehegatten, bis es so weit kam, daß der Chevalier sein ganzes einfaches Leben langweilig, abgeschmackt fand und sich mit aller Gewalt hinaussehnte in die Welt.

Des Chevaliers Unstern fing an zu walten. Was inneres Mißbehagen, tiefer Unmut begannen, vollendete ein verruchter Mensch, der sonst Croupier an des Chevaliers Bank gewesen und der es durch allerlei arglistige Reden dahin brachte, daß der Chevalier sein Beginnen kindisch und lächerlich fand. Er konnte nicht begreifen, wie er eines Weibes halber habe eine Welt verlassen können, die ihm allein des Lebens wert schien. –

Nicht lange dauerte es, so glänzte die reiche Goldbank des Chevaliers Menars prächtiger als jemals. Das Glück hatte ihn nicht verlassen, Schlachtopfer auf Schlachtopfer fielen, und Reichtümer wurden aufgehäuft. Aber zerstört, auf furchtbare Weise zerstört war Angelas Glück, das einem kurzen schönen Traum zu vergleichen. Der Chevalier behandelte sie mit Gleichgültigkeit, ja mit Verachtung! Oft sah sie ihn wochen-, monatelang gar nicht, ein alter Hausverweser besorgte die häuslichen Geschäfte, die Dienerschaft wechselte nach der Laune des Chevaliers, so daß Angela, selbst im eignen Hause fremd, nirgends Trost fand. Oft, wenn sie in schlaflosen Nächten vernahm, wie des Chevaliers Wagen vor dem Hause hielt, wie die schwere Kassette heraufgeschleppt wurde, wie der Chevalier mit einsilbigen rauhen Worten um sich warf und dann die Türe des entfernten Zimmers klirrend zugeschlagen wurde, dann brach ein Strom bittrer Tränen aus ihren Augen, im tiefsten, herzzerschneidendsten Jammer rief sie hundertmal den Namen Duvernet, flehte, daß die ewige Macht enden möge ihr elendes, gramverstörtes Leben! –
Es geschah, daß ein Jüngling von gutem Hause sich, nachdem er sein ganzes Vermögen an der Bank des Chevaliers verloren, im Spielhause, und zwar in demselben Zimmer, wo des Chevaliers Bank etabliert war, eine Kugel durch den Kopf jagte, so daß Blut und Hirn die Spieler bespritzte, die entsetzt auseinanderfuhren. Nur der Chevalier blieb gleichgültig und fragte, als al-

les sich entfernen wollte, ob es Regel und Sitte wäre, eines Narren halber, der keine Konduite im Spiel besessen, die Bank vor der bestimmten Stunde zu verlassen. –
Der Vorfall machte großes Aufsehn. Die versuchtesten, abgehärtetsten Spieler waren indigniert von des Chevaliers beispiellosem Betragen. Alles regte sich wider ihn. Die Polizei hob die Bank des Chevaliers auf. Man beschuldigte ihn überdem des falschen Spiels, sein unerhörtes Glück sprach für die Wahrheit der Anklage. Er konnte sich nicht reinigen, die Geldstrafe, die er erlegen mußte, raubte ihm einen bedeutenden Teil seines Reichtums. Er sah sich beschimpft, verachtet – da kehrte er zurück in die Arme seines Weibes, die er mißhandelt und die ihn, den Reuigen, gern aufnahm, da das Andenken an den Vater, der auch noch zurückkam von dem wirren Spielerleben, ihr einen Schimmer von Hoffnung aufdämmern ließ, daß des Chevaliers Änderung nun, da er älter worden, wirklich von Bestand sein könne.
Der Chevalier verließ mit seiner Gattin Paris und begab sich nach Genua, Angelas Geburtsort.
Hier lebte der Chevalier in der ersten Zeit ziemlich zurückgezogen. Vergebens blieb es aber, jenes Verhältnis der ruhigen Häuslichkeit mit Angela, das sein böser Dämon zerstört hatte, wiederherzustellen. Nicht lange dauerte es, so erwachte sein innerer Unmut und trieb ihn fort aus dem Hause in rastloser Unstetigkeit. Sein böser Ruf war ihm gefolgt von Paris nach Genua,

er durfte es gar nicht wagen, eine Bank zu etablieren, ungeachtet es ihn dazu hintrieb mit unwiderstehlicher Gewalt. –

Zu der Zeit hielt ein französischer Obrister, durch bedeutende Wunden zum Kriegsdienst untauglich geworden, die reichste Bank in Genua. Mit Neid und tiefem Haß im Herzen trat der Chevalier an diese Bank, gedenkend, daß sein gewohntes Glück ihm bald beistehen werde, den Nebenbuhler zu verderben. Der Obrist rief dem Chevalier mit einem lustigen Humor, der ihm sonst gar nicht eigen, zu, daß nun erst das Spiel was wert, da der Chevalier Menars mit seinem Glück hinangetreten, denn jetzt gelte es den Kampf, der allein das Spiel interessant mache.

In der Tat schlugen dem Chevalier in den ersten Taillen die Karten zu wie sonst. Als er aber, vertrauend auf sein unbezwingbares Glück, endlich *Va banque* rief, hatte er mit einem Schlage eine bedeutende Summe verloren.

Der Obrist, sonst sich im Glück und Unglück gleich, strich das Geld ein mit allen lebhaften Zeichen der äußersten Freude. Von diesem Augenblick an hatte sich das Glück von dem Chevalier abgewendet ganz und gar. Er spielte jede Nacht, verlor jede Nacht, bis seine Habe geschmolzen war auf die Summe von ein paar tausend Dukaten, die er noch in Papieren bewahrte.

Den ganzen Tag war der Chevalier umhergelaufen, hatte jene Papiere in bares Geld umgesetzt und kam erst am späten Abend nach Hause. Mit Einbruch der

Nacht wollte er, die letzten Goldstücke in der Tasche, fort, da trat ihm Angela, welche wohl ahnte, was vorging, in den Weg, warf sich, indem ein Tränenstrom aus ihren Augen stürzte, ihm zu Füßen, beschwor ihn bei der Jungfrau und allen Heiligen, abzulassen von bösem Beginnen, sie nicht in Not und Elend zu stürzen.

Der Chevalier hob sie auf, drückte sie mit schmerzlicher Inbrunst an seine Brust und sprach mit dumpfer Stimme: »Angela, meine süße liebe Angela! es ist nun einmal nicht anders, ich muß tun, was ich nicht zu lassen vermag. Aber morgen – morgen ist all deine Sorge aus, denn bei dem ewigen Verhängnis, das über uns waltet, schwör ich's, ich spiele heut zum letztenmal! – Sei ruhig, mein holdes Kind – schlafe – träume von glückseligen Tagen, von einem bessern Leben, dem du entgegengehst, das wird mir Glück bringen!« –

Damit küßte der Chevalier sein Weib und rannte unaufhaltsam von dannen. – Zwei Taillen, und der Chevalier hatte alles – alles verloren! –

Regungslos blieb er stehen neben dem Obristen und starrte in dumpfer Sinnlosigkeit hin auf den Spieltisch.

»Ihr pontiert nicht mehr, Chevalier?« sprach der Obrist, indem er die Karten melierte zur neuen Taille.

»Ich habe alles verloren«, erwiderte der Chevalier mit gewaltsam erzwungener Ruhe.

»Habt Ihr denn gar nichts mehr?« fragte der Obrist bei der nächsten Taille.

»Ich bin ein Bettler!« rief der Chevalier mit vor Wut und Schmerz zitternder Stimme, immerfort hinstarrend auf den Spieltisch und nicht bemerkend, daß die Spieler immer mehr Vorteil ersiegten über den Bankier. – Der Obrist spielte ruhig weiter.
»Ihr habt ja aber ein schönes Weib«, sprach der Obrist leise, ohne den Chevalier anzusehen, die Karten melierend zur folgenden Taille.
»Was wollt Ihr damit sagen?« fuhr der Chevalier zornig heraus. Der Obrist zog ab, ohne dem Chevalier zu antworten.
»Zehntausend Dukaten oder – Angela«, sprach der Obrist halb umgewendet, indem er die Karten kupieren ließ.
»Ihr seid rasend!« rief der Chevalier, der nun aber, mehr zu sich selbst gekommen, zu gewahren begann, daß der Obrist fortwährend verlor und verlor.
»Zwanzigtausend Dukaten gegen Angela«, sprach der Obrist leise, indem er mit dem Melieren der Karten einen Augenblick innehielt.
Der Chevalier schwieg, der Obrist spielte weiter, und beinahe alle Karten schlugen den Spielern zu.
»Es gilt«, sprach der Chevalier dem Obristen ins Ohr, als die neue Taille begann, und schob die Dame auf den Spieltisch. –
Im nächsten Abzug hatte die Dame verloren.
Zähneknirschend zog sich der Chevalier zurück und lehnte, Verzweiflung und Tod im bleichen Antlitz, sich ins Fenster.

Das Spiel war geendet, mit einem höhnischen: »Nun, wie wird's weiter?« trat der Obrist hin vor den Chevalier.

»Ha«, rief der Chevalier, ganz außer sich, »Ihr habt mich zum Bettler gemacht, aber wahnsinnig müßt Ihr sein, Euch einzubilden, daß Ihr mein Weib gewinnen konntet. Sind wir auf den Inseln, ist mein Weib eine Sklavin schnöder Willkür des verruchten Mannes preisgegeben, daß er sie zu verhandeln, zu verspielen vermag? Aber es ist wahr, zwanzigtausend Dukaten mußtet Ihr zahlen, wenn die Dame gewann, und so habe ich das Recht jedes Einspruchs verspielt, wenn mein Weib mich verlassen und Euch folgen will. – Kommt mit mir und verzweifelt, wenn mein Weib mit Abscheu den zurückstößt, dem sie folgen soll als ehrlose Mätresse!«

»Verzweifelt selbst«, erwiderte der Obrist hohnlachend, »verzweifelt selbst, Chevalier, wenn Angela Euch – Euch, den verruchten Sünder, der sie elend machte, verabscheuen und mit Wonne und Entzücken mir in die Arme stürzen wird – verzweifelt selbst, wenn Ihr erfahrt, daß der Segen der Kirche uns verbunden, daß das Glück unsere schönsten Wünsche krönt! – Ihr nennt mich wahnsinnig! – Hoho! nur das Recht des Einspruchs wollt' ich gewinnen, Euer Weib war mir gewiß! – Hoho, Chevalier, vernehmt, daß mich – mich Euer Weib, ich weiß es, unaussprechlich liebt – vernehmt, daß ich jener Duvernet bin, des Nachbars Sohn, mit Angela erzogen, in heißer Liebe

mit ihr verbunden, den Ihr mit Euern Teufelskünsten vertriebt! – Ach! erst als ich fort mußte in den Krieg, erkannte Angela, was ich ihr war, ich weiß alles. Es war zu spät! – Der finstre Geist gab mir ein, im Spiel könnte ich Euch verderben, deshalb ergab ich mich dem Spiel – folgte Euch nach Genua – es ist mir gelungen! – Fort nun zu Eurem Weibe!« –
Vernichtet stand der Chevalier, von tausend glühenden Blitzen getroffen. Offen lag vor ihm jenes verhängnisvolle Geheimnis, nun erst sah er das volle Maß des Unglücks ein, das er über die arme Angela gebracht.
»Angela, mein Weib, mag entscheiden«, sprach er mit dumpfer Stimme und folgte dem Obristen, welcher fortstürmte. – Als, ins Haus gekommen, der Obrist die Klinke von Angelas Zimmer erfaßte, drängte der Chevalier ihn zurück und sprach: »Mein Weib schläft, wollt Ihr sie aufstören aus süßem Schlafe?« – »Hm«, erwiderte der Obrist, »hat Angela wohl jemals gelegen in süßem Schlaf, seit ihr von Euch namenloses Elend bereitet wurde?«
Der Obrist wollte ins Zimmer, da stürzte der Chevalier ihm zu Füßen und schrie in heller Verzweiflung: »Seid barmherzig! – Laßt mir, den Ihr zum Bettler gemacht, laßt mir mein Weib!« – »So lag der alte Vertua vor Euch, dem gefühllosen Bösewicht, und vermochte Euer steinhartes Herz nicht zu erweichen, dafür die Rache des Himmels über Euch!« –
So sprach der Obrist und schritt aufs neue nach Ange-

las Zimmer. Der Chevalier sprang nach der Tür, riß sie auf, stürzte hin zu dem Bette, in dem die Gattin lag, zog die Vorhänge auseinander, rief: »Angela, Angela!« – beugte sich hin über sie, faßte ihre Hand – bebte wie im plötzlichen Todeskrampf zusammen, rief dann mit fürchterlicher Stimme: »Schaut hin! – den Leichnam meines Weibes habt Ihr gewonnen!« –

Entsetzt trat der Obrist an das Bette – keine Spur des Lebens – Angela war tot – tot.

Da ballte der Obrist die Faust gen Himmel, heulte dumpf auf, stürzte fort. – Man hat nie mehr etwas von ihm vernommen! –

So hatte der Fremde geendet und verließ nun schnell die Bank, ehe der tief erschütterte Baron etwas zu sagen vermochte.

Wenige Tage darauf fand man den Fremden vom Nervenschlag getroffen in seinem Zimmer. Er blieb sprachlos bis zu seinem Tode, der nach wenigen Stunden erfolgte; seine Papiere zeigten, daß er, der sich Baudasson schlechthin nannte, niemand anders gewesen als eben jener unglückliche Chevalier Menars.

Der Baron erkannte die Warnung des Himmels, der ihm, als er eben sich dem Abgrund näherte, den Chevalier Menars in den Weg führte zu seiner Rettung, und gelobte, allen Verlockungen des täuschenden Spielerglücks zu widerstehen.

Bis jetzt hat er getreulich Wort gehalten.

Der Vampyr

Graf Hyppolit war zurückgekehrt von langen weiten Reisen, um das reiche Erbe seines Vaters, der unlängst gestorben, in Besitz zu nehmen. Das Stammschloß lag in der schönsten, anmutigsten Gegend, und die Einkünfte der Güter reichten hin zu den kostspieligsten Verschönerungen. Alles, was der Art dem Grafen auf seinen Reisen, vorzüglich in England, als reizend, geschmackvoll, prächtig aufgefallen, sollte nun vor seinen Augen noch einmal entstehen. Handwerker und Künstler, wie sie gerade nötig, fanden sich auf seinen Ruf bei ihm ein, und es begann alsbald der Umbau des Schlosses, die Anlage eines weitläufigen Parks in dem größten Stil, so daß selbst Kirche, Totenacker und Pfarrhaus eingegrenzt wurden und als Partie des künstlichen Waldes erschienen. Alle Arbeiten leitete der Graf, der die dazu nötigen Kenntnisse besaß, selbst, er widmete sich diesen Beschäftigungen mit Leib und Seele, und so war ein Jahr vergangen, ohne daß es ihm eingefallen, dem Rat eines alten Oheims gemäß in der Residenz sein Licht leuchten zu lassen vor den Augen der Jungfrauen, damit ihm die schönste, beste, edelste zufalle als Gattin. Eben saß er eines Morgens am Zeichentisch, um den Grundriß eines neuen Gebäudes zu entwerfen, als eine alte Baronesse, weitläufige Verwandte seines Vaters, sich anmelden ließ. Hyppolit erinnerte sich, als er den Namen der Baronesse hörte, sogleich, daß sein Vater von dieser Alten immer mit der tiefsten Indignation, ja mit Abscheu gesprochen und manchmal Personen, die sich ihr nähern wollten, gewarnt, sich von ihr fernzuhalten, ohne jemals eine Ursache der Gefahr anzugeben. Befragte man den Grafen näher, so pflegte er zu sagen, es gäbe gewisse Dinge, über die es besser sei zu schweigen als zu reden. Soviel war gewiß, daß in der Residenz dunkle Gerüchte von einem ganz seltsamen und unerhörten Kriminalprozeß gingen, in dem die Baronesse befangen, der sie von ihrem Gemahl getrennt, aus ihrem entfernten Wohnort vertrieben, und dessen Unterdrückung sie nur der Gnade des Fürsten zu verdanken habe. Sehr unangenehm berührt fühlte sich Hyppolit durch die Annäherung einer Person, die sein Vater verabscheut, waren ihm auch die Gründe dieses Abscheus unbekannt geblieben. Das Recht der Gastfreundschaft, das vorzüglich auf dem Lande gelten mag, gebot ihm indessen, den lästigen Besuch anzunehmen. Niemals hatte eine Person, ohne im mindesten häßlich zu sein, in ihrer äußern Erscheinung solch einen widerwärtigen Eindruck auf den Grafen gemacht als eben die Baronesse. Bei dem Eintritt durchbohrte sie den Grafen mit einem glühenden Blick, dann schlug sie die Augen nieder und entschuldigte ihren Besuch in beinahe demütigen Ausdrücken.

Sie klagte, daß der Vater des Grafen, von den seltsamen Vorurteilen befangen, die ihm, gegen sie feindlich Gesinnte, auf hämische Weise beizubringen gewußt, sie bis in den Tod gehaßt, und ihr, unerachtet sie in der bittersten Armut beinahe verschmachtet und sich ihres Standes schämen müssen, niemals auch nur die mindeste Unterstützung zufließen lassen. Endlich, ganz unerwartet in den Besitz einer kleinen Geldsumme gekommen, sei es ihr möglich geworden, die Residenz zu verlassen und in ein entferntes Landstädtchen zu fliehen. Auf dieser Reise habe sie dem Drange nicht widerstehen können, den Sohn eines Mannes zu sehen, den sie, seines ungerechten, unversöhnlichen Hasses unerachtet, stets hochverehrt. – Es war der rührende Ton der Wahrheit, mit dem die Baronesse sprach, und der Graf fühlte sich um so mehr bewegt, als er, weggewandt von dem widrigen Antlitz der Alten, versunken war in den Anblick des wunderbar lieblichen anmutigen Wesens, das mit der Baronesse gekommen. Die Baronesse schwieg; der Graf schien es nicht zu bemerken, er blieb stumm. Da bat die Baronesse, es ihrer Befangenheit an diesem Orte zu verzeihen, daß sie dem Grafen nicht gleich bei ihrem Eintritt ihre Tochter Aurelie vorgestellt. Nun erst gewann der Graf Worte und beschwor, rot geworden bis an die Augen, in der Verwirrung des liebeentzückten Jünglings, die Baronesse, sie möge ihm vergönnen, das gutzumachen, was sein Vater nur aus Mißverstand verschulden können und vor der Hand es sich auf seinem Schlosse gefallen lassen. Seinen besten Willen beteuernd, faßte er die Hand der Baronesse, aber das Wort, der Atem stockte ihm, eiskalte Schauer durchbebten sein Innerstes. Er fühlte sein Hand von im Tode erstarrten Fingern umkrallt, und die große knochendürre Gestalt der Baronesse, die ihn anstarrte mit Augen ohne Sehkraft, schien ihm in den häßlich bunten Kleidern eine angeputzte Leiche. »O mein Gott, welch ein Ungemach gerade in diesem Augenblick!«, so rief Aurelie und klagte dann mit sanfter, herzdurchdringender Stimme, daß ihre arme Mutter zuweilen plötzlich vom Starrkrampf ergriffen werde, daß dieser Zustand aber gewöhnlich ohne Anwendung irgendeines Mittels in ganz kurzer Zeit vorüberzugehen pflege. Mit Mühe machte sich der Graf los von der Baronesse, und alles glühende Leben süßer Liebeslust kam ihm wieder, als er Aureliens Hand faßte und feurig an die Lippen drückte. Beinahe zum Mannesalter gereift, fühlte der Graf zum erstenmal die ganze Gewalt der Leidenschaft, um so weniger war es ihm möglich, seine Gefühle zu verbergen, und die Art, wie Aurelie dies aufnahm in hoher kindlicher Liebenswürdigkeit, entzündete in ihm die schönsten Hoffnungen. Wenige Minuten waren vergangen, als die Baronesse aus dem Starrkrampf erwachte und, sich des vorübergegangenen Zustandes völlig unbewußt, den Grafen versicherte, wie sie der Antrag einige Zeit auf dem Schlosse zu verweilen, hoch ehre und alles Unrecht, das ihr der Vater angetan, mit einemmal vergessen lasse. So hatte sich nun plötzlich der Hausstand des

Grafen verändert, und er mußte glauben, daß ihm eine besondere Gunst des Schicksals die Einzige auf dem ganzen Erdenrund zugeführt, die als heißgeliebte, angebetete Gattin ihm das höchste Glück des irdischen Seins gewähren könne. Das Betragen der alten Baronesse blieb sich gleich, sie war still, ernst, ja in sich verschlossen, und zeigte, wenn es die Gelegenheit gab, eine milde Gesinnung und ein jeder unschuldigen Lust erschlossenes Herz. Der Graf hatte sich an das in der Tat seltsam gefurchte totenbleiche Antlitz, an die gespenstische Gestalt der Alten gewöhnt, er schrieb alles ihrer Kränklichkeit zu sowie dem Hange düstrer Schwärmerei, da sie, wie er von seinen Leuten erfahren, oft nächtliche Sparziergänge machte durch den Park nach dem Kirchhofe zu. Er schämte sich, daß das Vorurteil des Vaters ihn so habe befangen können, und die eindringlichsten Ermahnungen des alten Oheims, das Gefühl, das ihn ergriffen, zu besiegen, und ein Verhältnis aufzugeben, das ihn über kurz oder lang ganz unvermeidlich ins Verderben stürzen werde, verfehlten durchaus ihre Wirkung. Von Aureliens innigster Liebe auf das lebhafteste überzeugt, bat er um ihre Hand, und man kann denken, mit welcher Freude die Baronesse, die sich, aus tiefer Dürftigkeit gerissen, im Schoße des Glücks sah, diesen Antrag aufnahm. Die Blässe und jener besondere Zug, der auf einen schweren innern unverwindlichen Gram deutet, war verschwunden aus Aureliens Antlitz, und die Seligkeit der Liebe strahlte aus ihren Augen, schimmerte rosig auf ihren Wangen. Am Morgen des Hochzeitstages vereitelte ein erschütternder Zufall die Wünsche des Grafen. Man hatte die Baronesse im Park unfern des Kirchhofes leblos am Boden auf dem Gesicht liegend gefunden und brachte sie nach dem Schlosse, eben als der Graf aufgestanden und im Wonnegefühl des errungenen Glücks hinausschaute. Er glaubte die Baronesse nur von ihrem gewöhnlichen Übel befallen; alle Mittel, sie wieder zurückzurufen ins Leben, blieben aber vergeblich, sie war tot. Aurelie überließ sich weniger den Ausbrüchen eines heftigen Schmerzes, als daß sie verstummt, tränenlos durch den Schlag, der sie getroffen, in ihrem innersten Wesen gelähmt schien. Dem Grafen bangte für die Geliebte, und nur leise und behutsam wagte er es, sie an ihr Verhältnis als gänzlich verlassenes Kind zu erinnern, welches erfordere, das Schickliche aufzugeben, um das noch Schicklichere zu tun, nämlich, des Todes der Mutter unerachtet, den Hochzeitstag soviel nur möglich zu beschleunigen. Da fiel aber Aurelie dem Grafen in die Arme und rief, indem ihr ein Tränenstrom aus den Augen stürzte, mit schneidender, das Herz durchbohrender Stimme: »Ja – ja! – um aller Heiligen, um meiner Seligkeit willen, ja! –« Der Graf schrieb diesen Ausbruch innerer Gemütsbewegung dem bittern Gedanken zu, daß sie, verlassen, heimatlos, nun nicht wisse wohin und auf dem Schlosse zu bleiben doch der Anstand verbiete. Er sorgte dafür, daß Aurelie eine alte würdige Matrone zur Gesellschafterin erhielt, bis nach wenigen Wochen aufs neue der Hochzeitstag herankam, den weiter kein böser Zufall unterbrach, sondern der Hyppolits und Aureliens Glück krönte. Aurelie hatte sich indessen immerwährend in einem gespannten Zustand befunden. Nicht der Schmerz über den Verlust der Mutter, nein, eine innere, namenlose, tötende Angst schien sie rastlos zu verfolgen. Mitten im süßesten Liebesgespräch fuhr sie plötzlich, wie von jähem Schreck erfaßt, zum Tode erbleicht auf, schloß den Grafen, indem ihr Tränen aus den Augen quollen, in ihre Arme, als wolle sie sich festhalten, damit eine unsichtbare feindliche Macht sie nicht fortreiße ins Verderben, und rief: »Nein – nimmer – nimmer! –« Erst jetzt, da sie verheiratet mit dem Grafen, schien der gespannte Zustand aufgehört, jene innere entsetzliche Angst sie verlassen zu haben. Es konnte nicht fehlen, daß der Graf irgendein böses Geheimnis vermutete, von dem Aureliens Inneres verstört, doch hielt er es mit Recht für unzart, Aurelien danach zu fragen, solange ihr Spannung anhielt und sie selbst darüber schwieg. Jetzt wagte er es, leise darauf hinzudeuten, was wohl die Ursache ihrer seltsamen Gemütsstimmung gewesen sein möge. Da versicherte Aurelie, daß es ihr eine Wohltat sei, ihm, dem geliebten Gemahl, jetzt ihr ganzes Herz zu erschließen. Nicht wenig erstaunte der Graf, als er nun erfuhr, daß nur das heillose Treiben der Mutter allen sinnverstörenden Gram über Aurelien gebracht. »Gibt es«, rief Aurelie, »etwas Entsetzlicheres, als die eigne Mutter hassen, verabscheuen zu müssen?« Also war der Vater, der Oheim von keinem falschen Vorurteil befangen, und die Baronesse hatte mit durchdachter Heuchelei den Grafen getäuscht. Für eine seiner Ruhe günstige Schickung mußte es nun der Graf halten, daß die böse Mutter an seinem Hochzeitstage gestorben. Er hatte dessen kein Hehl; Aurelie erklärte aber, daß gerade bei dem Tode der Mutter sie sich von düsteren furchtbaren Ahnungen ergriffen gefühlt, daß sie die entsetzliche Angst nicht verwinden können, die Tote werde erstehn aus dem Grabe und sie hinabreißen aus den Armen des Geliebten in den Abgrund. Aurelie erinnerte sich (so erzählte sie) ganz dunkel aus ihrer früheren Jugendzeit, daß eines Morgens, da sie eben aus dem Schlafe erwacht, ein furchtbarer Tumult im Hause entstand. Die Türen wurden auf und zu geworfen, fremde Stimmen riefen durcheinander. Endlich, als es stiller geworden, nahm die Wärterin Aurelien auf den Arm und trug sie in ein großes Zimmer, wo viele Menschen versammelt, in der Mitte auf einem langen Tisch ausgestreckt lag aber der Mann, der oft mit Aurelien gespielt, sie mit Zuckerwerk gefüttert und den sie Papa genannt. Sie streckte die Händchen nach ihm aus und wollte ihn küssen. Die sonst warmen Lippen waren aber eiskalt, und Aurelie brach, selbst wußte sie nicht warum, aus in heftiges Weinen. Die Wärterin brachte sie in ein fremdes Haus, wo sie lange Zeit verweilte, bis endlich eine Frau erschien und sie in einer Kutsche mitnahm. Das war nun ihre Mutter, die bald darauf mit Aurelien nach der Residenz reiste. Aurelie mochte ungefähr sechzehn Jahre alt sein, als ein Mann bei der Baronesse erschien, den sie mit Freude und Zutraulichkeit empfing, wie einen alten geliebten Bekannten. Er kam oft und öfter, und bald veränderte sich der Hausstand der Baronesse auf sehr merkliche Weise. Statt daß sie sonst in einem Dachstübchen gewohnt und sich mit armseligen Kleidern und schlechter Kost beholfen, bezog sie jetzt ein hübsches Quartier in der schönsten Gegend der Stadt, schaffte sich prächtige Kleider an, aß und trank mit dem Fremden, der ihr täglicher Tischgast war, vortrefflich und nahm teil an allen öffentlichen Lustbarkeiten, wie sie die Residenz darbot. Nur auf Aurelien hatte diese Verbesserung der Lage ihrer Mutter, die diese offenbar dem Fremden verdankte, gar keinen Einfluß. Sie blieb eingeschlossen in ihrem Zimmer zurück, wenn die Baronesse mit dem Fremden dem Vergnügen zueilte, und mußte so armselig einhergehen als sonst. Der Fremde hatte, unerachtet er wohl beinahe vierzig Jahre alt sein mochte, ein sehr frisches, jugendliches Ansehen, war von hoher, schöner Gestalt, und auch sein Antlitz mochte männlich schön genannt werden. Demunerachtet war er Aurelien widrig, weil oft sein Benehmen, schien er sich auch zu einem vornehmen Anstande zwingen zu wollen, linkisch, gemein, pöbelhaft wurde. Die Blicke, womit er aber Aurelien zu betrachten begann, erfüllten sie mit unheimlichem Grauen, ja mit einem Abscheu, dessen Ursache sie sich selbst nicht zu erklären wußte. Nie hatte bisher die Baronesse es der Mühe wert geachtet, Aurelien auch nur ein Wort über den Fremden zu sagen. Jetzt nannte sie Aurelien seinen Namen mit dem Zusatz, daß der Baron steinreich und ein entfernter Verwandter sei. Sie rühmte seine Gestalt, seine Vorzüge und schloß mit der Frage: Wie er Aurelien gefalle? Aurelie verschwieg nicht den innern Abscheu, den sie gegen den Fremden hegte, da blitzte sie aber die Baronesse an mit einem Blick, der ihr tiefen Schreck einjagte, und schalt sie ein dummes, einfältiges Ding. Bald darauf wurde die Baronesse freundlicher gegen Aurelien, als sie es jemals gewesen. Sie erhielt schöne Kleider, reichen modischen Putz jeder Art, man ließ sie teilnehmen an den öffentlichen Vergnügungen. Der Fremde bemühte sich nun um Aureliens Gunst auf eine Weise, die ihn nur immer widerwärtiger ihr erscheinen ließ. Tödlich wurde aber ihr zarter jungfräulicher Sinn berührt, als ein böser Zufall sie geheime Zeugin sein ließ einer empörenden Abscheulichkeit des Fremden und der verderbten Mutter. Als nun einige Tage darauf der Fremde in halbtrunknem Mut sie auf eine Art in seine Arme schloß, daß die verruchte Absicht keinem Zweifel unterworfen, da gab ihr die Verzweiflung Manneskraft, sie stieß den Fremden zurück, daß er rücklings überstürzte, entfloh und schloß sich in ihr Zimmer ein. Die Baronesse erklärte Aurelien ganz kalt und bestimmt, daß, da der Fremde ihren ganzen Haushalt bestritte, und sie gar nicht Lust habe, zurückzukommen in die alte Dürftigkeit, hier jede alberne Ziererei verdrießlich und unnütz sein werde; Aurelie müsse sich dem Willen des Fremden hingeben, der sonst gedroht, sie zu verlassen. Statt auf Aureliens wehmütiges Flehen, statt auf ihre heißen Tränen zu achten, begann die Alte, in frechem Spott laut auflachend, über ein Verhältnis, das ihr alle Lust des Lebens erschließen werde, auf eine Art zu sprechen, deren zügellose Abscheulichkeit jedem sittlichen Gefühl Hohn sprach, so daß Aurelie sich davor entsetzte. Sie sah sich verloren, und das einzige Rettungsmittel schien ihr schleunige Flucht. Aurelie hatte sich den Hausschlüssel zu verschaffen gewußt, die wenigen Habseligkeiten, die die dringendste Notwendigkeit erforderte, zusammengepackt und schlich nach Mitternacht, als sie die Mutter in tiefem Schlaf glaubte, über den matt erleuchteten Vorsaal. Schon wollte sie leise, leise hinaustreten, als die Haustüre rasselnd aufsprang und es die Treppe hinaufpolterte. Hinein in den Vorsaal, hin zu Aureliens Füßen stürzte die Baronesse, in einen schlechten schmutzigen Kittel gekleidet, Brust und Arme entblößt, das greise Haar aufgelöst, wild flatternd. Und dicht hinter ihr her der Fremde, der mit dem gellenden Ruf: Warte, verruchter Satan, höllische Hexe, ich werd' dir dein Hochzeitsmahl eintränken! sie bei den Haaren mitten ins Zimmer schleifte und mit dem dicken Knittel, den er bei sich trug, auf die grausamste Weise zu mißhandeln begann. Die Baronesse stieß ein fürchterliches Angstgeschrei aus, Aurelie, ihrer Sinne kaum mächtig, rief laut durch das geöffnete Fenster nach Hülfe. Es traf sich, daß gerade eine Patrouille bewaffneter Polizei vorüberging. Diese drang sogleich ins Haus. »Faßt ihn«, rief die Baronesse, sich vor Wut und Schmerz krümmend, den Polizeisoldaten entgegen, »faßt ihn – haltet ihn fest! – schaut seinen bloßen Rücken an! – es ist –« Sowie die Baronesse den Namen nannte, jauchzte der Polizeisergeant, der die Patrouille führte, laut auf: Hoho – haben wir dich endlich, Urian! Und damit packten sie den Fremden fest und schleppten ihn, sosehr er sich sträuben mochte, fort. Dem allem, was sich zugetragen, unerachtet, hatte die Baronesse Aureliens Absicht doch sehr wohl bemerkt. Sie begnügte sich damit, Aurelien ziemlich unsanft beim Arm zu fassen, sie in ihr Zimmer zu werfen und dieses dann abzuschließen, ohne weiter etwas zu sagen. Andern Morgens war die Baronesse ausgegangen und kam erst am späten Abend wieder, während Aurelie in ihr Zimmer wie in ein Gefängnis eingeschlossen, niemanden sah und hörte, so daß sie den ganzen Tag zubringen mußte ohne Speise und Trank. Mehrere Tage hintereinander ging das so fort. Oft blickte die Baronesse sie mit zornfunkelnden Augen an, sie schien mit einem Entschluß zu ringen, bis sie an einem Abend Briefe fand, deren Inhalt ihr Freude zu machen schien. »Aberwitzige Kreatur, du bist an allem schuld, aber es ist nun gut, und ich wünsche selbst, daß die fürchterliche Strafe dich nicht treffen mag, die der böse Geist über dich verhängt hatte.« So sprach die Baronesse zu Aurelien, dann wurde sie wieder freundlicher, und Aurelie, die, da nun der abscheuliche Mensch von ihr gewichen, nicht mehr an die Flucht dachte, erhielt auch wieder mehr Freiheit. – Einige Zeit war vergangen, als eines Tages, da Aurelie gerade einsam in ihrem Zimmer saß, sich auf der Straße ein großes Geräusch erhob. Das Kammermädchen sprang hinein und berichtete, daß man eben den Sohn des Scharfrichters aus ... vorbeibringe, der, wegen Raubmord dort gebrandmarkt und nach dem Zuchthause gebracht, seinen Wächtern auf dem Transport aber entsprungen sei. Aurelie wankte, ergriffen von banger Ahnung, an das Fenster, sie hatte sich nicht betrogen, es war der Fremde, der, umringt von zahlreichen Wachen, auf dem Leiterwagen fest angeschlossen vorübergefahren wurde. Man brachte ihn zurück zur Abbüßung seiner Strafe. Der Ohnmacht nahe, sank Aurelie zurück in den Lehnsessel, als der furchtbar wilde Blick des Kerls sie traf, als er mit drohender Gebärde die geballte Faust aufhob gegen das Fenster. – Immer noch war die Baronesse viel außer dem Hause, Aurelien ließ sie aber jedesmal zurück, und so führte sie von manchen Betrachtungen über ihr Schicksal, über das, was Bedrohliches, ganz unerwartet, plötzlich sie treffen könne, ein trübes, trauriges Leben. Von dem Kammermädchen, das übrigens erst nach jenem nächtlichen Ereignis in das Haus gekommen und der man nun erst wohl erzählt haben mochte, wie jener Spitzbube mit der Frau Baronesse in vertraulichem Verhältnis gelebt, erfuhr Aurelie, daß man in der Residenz die Frau Baronesse gar sehr bedaure, von einem solchen niederträchtigen Verbrecher auf solche verruchte Weise getäuscht worden zu sein. Aurelie wußte nur zu gut, wie ganz anders sich die Sache verhielt, und unmöglich schien es, daß wenigstens die Polizeisoldaten, welche damals den Menschen im Hause der Baronesse ergriffen, nicht, als diese ihn nannte und den gebrandmarkten Rücken angab, als gewisses Kennzeichen des Verbrechers, von der guten Bekanntschaft der Baronesse mit dem Scharfrichtersohn überzeugt worden sein sollten. Daher äußerte sich denn auch jenes Kammermädchen bisweilen auf zweideutige Weise darüber, was man so hin und her denke und daß man auch wissen wolle, wie der Gerichtshof strenge Nachforschung gehalten und sogar die gnädige Frau Baronesse mit Arrest bedroht haben solle, weil der verruchte Scharfrichtersohn gar Seltsames erzählt. – Aufs neue mußte die arme Aurelie der Mutter verworfene Gesinnung darin erkennen, daß es ihr möglich gewesen, nach jenem entsetzlichen Ereignis auch nur noch einen Augenblick in der Residenz zu verweilen. Endlich schien sie gezwungen, den Ort, wo sie sich von schmachvollem, nur zu gegründetem Verdacht verfolgt sah, zu verlassen und in eine entfernte Gegend zu fliehen. Auf dieser Reise kam sie nun in das Schloß des Grafen, und es geschah, was erzählt worden. Aurelie mußte sich überglücklich, aller böser Sorge entronnen, fühlen; wie tief entsetzte sie sich aber, als, da sie in diesem seligen Gefühl von der gnadenreichen Schickung des Himmels zur Mutter sprach, diese, Höllenflam-

men in den Augen, mit gellender Stimme rief: »Du bist mein Unglück, verworfenes, heilloses Geschöpf, aber mitten in deinem geträumten Glück trifft dich die Rache, wenn mich ein schneller Tod dahinrafft. In dem Starrkrampf, den deine Geburt mich kostete, hat die List des Satans« – hier stockte Aurelie, sie warf sich an des Grafen Brust und flehte, ihr es zu erlassen, das ganz zu wiederholen, was die Baronesse noch ausgesprochen in wahnsinniger Wut. Sie fühle sich im Innern zermalmt, gedenke sie der fürchterlichen, jede Ahnung des Entsetzlichsten überbietenden Drohung der von bösen Mächten erfaßten Mutter. Der Graf tröstete die Gattin so gut er es vermochte, unerachtet er selbst sich von kaltem Todesschauer durchbebt fühlte. Gestehen mußte er es sich, auch ruhiger geworden, daß die tiefe Abscheulichkeit der Baronesse doch, war sie auch gestorben, einen schwarzen Schatten in sein Leben warf, das ihm sonnenklar gedünkt.
Kurze Zeit war vergangen, als Aurelie sich gar merklich zu ändern begann. Während die Totenblässe des Antlitzes, das ermattete Auge auf Erkrankung zu deuten schien, ließ wieder Aureliens wirres, unstetes, ja scheues Wesen auf irgendein neues Geheimnis schließen, das sie verstörte. Sie floh selbst den Gemahl, schloß sich bald in ihr Zimmer ein, suchte bald die einsamsten Plätze des Parks, und ließ sie sich dann wieder blicken, so zeugten die verweinten Augen, die verzerrten Züge des Antlitzes von irgendeiner entsetzlichen Qual, die sie gelitten. Vergebens mühte sich der

Graf, die Ursache von dem Zustande der Gattin zu erforschen, und aus der völligen Trostlosigkeit, in die er endlich verfiel, konnte ihn nur die Vermutung eines berühmten Arztes retten, daß bei der großen Reizbarkeit der Gräfin all die bedrohlichen Erscheinungen eines veränderten Zustandes nur auf eine frohe Hoffnung der beglückten Ehe deuten könnten. Derselbe Arzt erlaubte sich, als er einst mit dem Grafen und der Gräfin bei Tische saß, allerlei Anspielungen auf jenen vermuteten Zustand guter Hoffnung. Die Gräfin schien alles teilnahmslos zu überhören, doch plötzlich war sie ganz aufmerksam, als der Arzt von den seltsamen Gelüsten zu sprechen begann, die zuweilen Frauen in jenem Zustande fühlten und denen sie ohne Nachteil ihrer Gesundheit, ja ohne die schädlichste Einwirkung auf das Kind, nicht widerstehen dürften. Die Gräfin überhäufte den Arzt mit Fragen, und dieser wurde nicht müde, aus seiner praktischen Erfahrung die ergötzlichsten, drolligsten Fälle mitzuteilen. »Doch«, sprach er, »hat man auch Beispiele von den abnormsten Gelüsten, durch die Frauen verleitet wurden zu der entsetzlichsten Tat. So hatte die Frau eines Schmieds ein solch unwiderstehliches Gelüste nach dem Fleisch ihres Mannes, daß sie nicht eher ruhte, als bis sie ihn einst, da er betrunken nach Hause kam, unvermutet mit einem großen Messer überfiel und so grausam zerfleischte, daß er nach wenigen Stunden den Geist aufgab.«

Kaum hatte der Arzt diese Worte gesprochen, als die

Gräfin ohnmächtig in den Sessel sank und aus den Nervenzufällen, die dann eintraten, nur mit Mühe gerettet werden konnte. Der Arzt sah nun, daß er sehr unvorsichtig gehandelt, im Beisein der nervenschwachen Frau jener fürchterlichen Tat zu erwähnen. Wohltätig schien indessen jene Krise auf den Zustand der Gräfin gewirkt zu haben, denn sie wurde ruhiger, wiewohl bald darauf ein seltsames starres Wesen, ein düstres Feuer in den Augen und die immer mehr zunehmende Totenfarbe den Grafen in neue, gar quälende Zweifel über den Zustand der Gattin stürzte. Das Unerklärlichste dieses Zustandes der Gräfin lag aber darin, daß sie auch nicht das mindeste an Speise zu sich nahm, vielmehr gegen alles, vorzüglich aber gegen Fleisch, den unüberwindlichsten Abscheu bewies, so daß sie sich jedesmal mit den lebhaftesten Zeichen dieses Abscheues vom Tische entfernen mußte. Die Kunst des Arztes scheiterte, denn nicht das dringendste, liebevollste Flehen des Grafen, nichts in der Welt konnte die Gräfin vermögen, auch nur einen Tropfen Medizin zu nehmen. Da nun Wochen, Monate vergangen, ohne daß die Gräfin auch nur einen Bissen genossen, da es ein unergründliches Geheimnis, wie sie ihr Leben zu fristen vermochte, so meinte der Arzt, daß hier etwas im Spiele sei, was außer dem Bereich jeder getreu menschlichen Wissenschaft liege. Er verließ das Schloß unter irgendeinem Vorwande, der Graf konnte aber wohl merken, daß der Zustand der Gattin dem bewährten Arzt zu rätselhaft, ja zu unheimlich gedünkt, um länger zu harren und Zeuge einer unergründlichen Krankheit zu sein, ohne Macht zu helfen. Man kann es sich denken, in welche Stimmung dies alles den Grafen versetzen mußte; aber es war dem noch nicht genug. – Gerade um diese Zeit nahm ein alter Diener die Gelegenheit wahr, dem Grafen, als er ihn gerade allein fand, zu entdecken, daß die Gräfin jede Nacht das Schloß verlasse und erst beim Anbruch des Tages wiederkehre. Eiskalt erfaßte es den Grafen. Nun erst dachte er daran, wie ihn seit einiger Zeit jedesmal zur Mitternacht ein ganz unnatürlicher Schlaf überfallen, den er jetzt irgendeinem narkotischen Mittel zuschrieb, das die Gräfin ihm beibringe, um das Schlafzimmer, das sie, vornehmer Sitte entgegen, mit dem Gemahl teilte, unbemerkt verlassen zu können. Die schwärzesten Ahnungen kamen in seine Seele; er dachte an die teuflische Mutter, deren Sinn vielleicht erst jetzt in der Tochter erwacht, an irgendein abscheuliches ehebrecherisches Verhältnis, an den verruchten Scharfrichterknecht. – Die nächste Nacht sollte ihm das entsetzliche Geheimnis erschließen, das allein die Ursache des unerklärlichen Zustandes der Gattin sein konnte. Die Gräfin pflegte jeden Abend selbst den Tee zu bereiten, den der Graf genoß, und sich dann zu entfernen. Heute nahm er keinen Tropfen, und als er seiner Gewohnheit nach im Bette las, fühlte er keineswegs um Mitternacht die Schlafsucht, die ihn sonst überfallen. Demuneracht sank er zurück in die Kissen und stellte sich bald, als sei er fest eingeschlafen. Leise, leise verließ nun die Gräfin ihr Lager, trat an das Bett des Grafen, leuchtete ihm ins Gesicht und schlüpfte hinaus aus dem Schlafzimmer. Das Herz bebte dem Grafen, er stand auf, warf einen Mantel um und schlich der Gattin nach. Es war eine ganz mondhelle Nacht, so daß der Graf Aureliens, in ein weißes Schlafgewand gehüllte Gestalt, unerachtet sie einen beträchtlichen Vorsprung gewonnen, auf das deutlichste wahrnehmen konnte. Durch den Park nach dem Kirchhofe zu nahm die Gräfin ihren Weg, dort verschwand sie an der Mauer. Schnell rannte der Graf hinter ihr her, durch die Pforte der Kirchhofsmauer, die er offen fand. Da gewahrte er im hellsten Mondesschimmer dicht vor sich einen Kreis furchtbar gespenstischer Gestalten. Alte halbnackte Weiber mit fliegendem Haar hatten sich niedergekauert auf den Boden, und mitten in dem Kreise lag der Leichnam eines Menschen, an dem sie zehrten mit Wolfesgier. – Aurelie war unter ihnen! – Fort stürzte der Graf in wildem Grausen und rannte besinnungslos, gehetzt von der Todesangst, von dem Entsetzen der Hölle, durch die Gänge des Parks, bis er sich am hellen Morgen in Schweiß gebadet vor dem Tor des Schlosses wiederfand. Unwillkürlich, ohne einen deutlichen Gedanken fassen zu können, sprang er die Treppe herauf, stürzte durch die Zimmer, hinein in das Schlafgemach. Da lag die Gräfin, wie es schien, in sanftem, süßem Schlummer, und der Graf wollte sich überzeugen, daß nur ein abscheuliches Traumbild oder, da er sich der nächtlichen Wanderung bewußt, für die auch der von dem Morgentau durchnäßte Mantel zeugte, vielmehr eine sinnetäuschende Erscheinung ihn zum Tode geängstigt. Ohne der Gräfin Erwachen abzuwarten, verließ er das Zimmer, kleidete sich an und warf sich aufs Pferd. Der Spazierritt an dem schönen Morgen durch duftendes Gesträuch, aus dem heraus muntrer Gesang der erwachten Vögel ihn begrüßte, verscheuchte die furchtbaren Bilder der Nacht; getröstet und erheitert kehrte er zurück nach dem Schlosse. Als nun aber beide, der Graf und die Gräfin, sich allein zu Tische gesetzt, und diese, da das gekochte Fleisch aufgetragen, mit den Zeichen des tiefsten Abscheus aus dem Zimmer wollte, da trat die Wahrheit dessen, was er in der Nacht geschaut, gräßlich vor die Seele des Grafen. In wildem Grimm sprang er auf und rief mit fürchterlicher Stimme: »Verfluchte Ausgeburt der Hölle, ich kenne deine Abscheu vor des Menschen Speise, aus den Gräbern zerrst du deine Ätzung, teuflisches Weib!« Doch sowie der Graf diese Worte ausstieß, stürzte die Gräfin laut heulend auf ihn zu und biß ihn mit der Wut der Hyäne in die Brust. Der Graf schleuderte die Rasende von sich zur Erde nieder und sie gab den Geist auf unter grauenhaften Verzuckungen. – Der Graf verfiel in Wahnsinn.